D0715148

GUIDE
pour se trouver
UN EMPLOI

LES ÉDITIONS QUEBECOR
une division de Groupe Quebecor inc.
7, chemin Bates
Suite 100
Outremont (Québec)
H2V 1A6

Distribution : Québec Livres

© 1987 Les Éditions Quebecor
© 1992 Les Éditions Quebecor, pour la réédition

Dépôt légal, 1er trimestre 1992
Bibliothèque nationale du Québec
Bibliothèque nationale du Canada
ISBN 2-89089-387-1
ISBN 2-89089-879-2

Conception et réalisation de la page couverture : Bizier & Bouchard
Photo de la page couverture : Image Bank, Patrick Doherty
Illustrations : Bizier & Bouchard

GUIDE
pour se trouver
UN EMPLOI

**DENIS
BOULAY**

Les Éditions
Quebecor

Sommaire

Voici, dans l'ordre, les thèmes importants que nous aborderons dans ce livre:

Introduction

Trouver un emploi, même en temps de récession, demeure plus faisable que l'on croit. Ce livre vous fournit tous les outils nécessàires pour effectuer une recherche d'emploi efficace. À vous de les utiliser. Quel est le travail qui vous convient? Qu'est-ce qu'un bon C.V.? Comment le rédiger facilement? Où faut-il chercher un emploi? Comment vous préparer à une entrevue? Qu'est-ce que l'employeur veut savoir à votre sujet? Quelles questions va-t-il vous poser? J'ai essayé de présenter les réponses à ces questions le plus clairement possible.

Vous trouverez aussi, dans cette nouvelle édition, de précieux conseils recueillis auprès d'une dizaine de professionnels du recrutement. Nous voulions savoir ce qu'attend de vous la personne qui vous embauchera.

Les dirigeants d'entreprises sont conscients, aujourd'hui, qu'une main-d'œuvre de qualité est le gage de leur succès. Si un employeur vous engage et vous paie, il attend, en retour, que vous livriez la marchandise. Son objectif, vous devez le savoir, est de rassembler un groupe d'employés capables d'insuffler à son entreprise le dynamisme lui permettant de progresser. Et vous, savez-vous ce que vous avez à offrir? J'ai la prétention de vous dire que vous en aurez une très bonne idée après la lecture des quatre pages suivantes.

Il faut utiliser ce livre comme un aide-mémoire. Une bonne lecture d'abord, puis, quand un employeur vous fait signe pour une entrevue, un coup d'œil sur les passages qui vous intéressent, ne serait-ce que pour vous remettre dans le coup.

Un emploi selon vos aptitudes et vos intérêts

PARTONS, C'EST FACILE!

Chacun de nous possède sa dose de détermination. Tantôt elle sommeille, tantôt elle s'éveille, mais jamais elle ne nous quitte. Elle se manifeste de diverses façons. Dans le cas d'un athlète, par exemple, elle peut s'exprimer par le désir de gagner à tout prix ou, ce qui est plus légitime, de se surpasser soi-même.

Cette attitude déterminée, cette volonté personnelle d'arriver à ses fins est celle que nous adopterons pour trouver un emploi. La décision irrévocable d'atteindre un objectif est à la base d'une action soutenue et profitable.

Il faut garder précieusement cette décision en

mémoire et s'en servir comme le ressort nous permettant de bondir, envers et contre tout, dans les moments difficiles. Si votre détermination est endormie, prenez le temps de la réveiller. Saisissez-la au collet s'il le faut. Voilà! Elle commence à se réchauffer. Êtes-vous prêt? Partons, c'est facile!

QU'EST-CE QUE VOUS AIMEZ ET POUVEZ FAIRE?

Jetons d'abord un coup d'œil sur le tableau des emplois que vous aimeriez et pourriez occuper. Même ceux qui ont une formation, une profession ou un métier précis peuvent s'arrêter à cette petite introspection.

Il s'agit de déterminer les traits dominants de vos intérêts et de vos aptitudes. Ceux que vous connaissez ou que l'on vous reconnaît. Notez bien qu'une orientation professionnelle complète est à la fois beaucoup plus complexe et personnalisée. Des organismes comme les Commissions de formation professionnelle (CFP) offrent ces services.

Pour notre part, le tableau qui suit a pour but de vous situer de façon générale devant le marché du travail.

La connaissance de vos intérêts et de vos compétences vous permettra d'éviter les démarches inutiles ou de trouver un emploi qui ne vous convient pas. La variété de postes et d'occupations existants étant très vaste, le champ d'action que vous aurez défini vous permettra de concentrer vos efforts sur le terrain qui vous est le plus familier.

Voici un tableau très simplifié d'occupations reliées aux aptitudes et aux intérêts qu'elles supposent. Les cases libres sont pour vous.

	SI VOUS AIMEZ...	VOUS POUVEZ FAIRE...
TRAVAIL MANUEL - Techniques et métiers/divers	Le travail impliquant un contact avec la matière, des efforts physiques, de l'habileté manuelle, des aptitudes pour l'installation et la réparation de machinerie, plomberie, électricité, etc.	Mécanicien, chauffeur, manutentionnaire, ouvrier spécialisé, déménageur, machiniste, briquetier, électricien, plombier, menuisier, cuisinier, opérateur de machines, etc.
TRAVAIL DE RECHERCHE - Professionnel/sciences	Le travail de conception, recherche scientifique, programmation informatique, recherche en chimie, biologie, électronique, etc.	Programmeur-analyste, chercheur, chimiste, biologiste, ingénieur, économiste, sociologue, technicien de laboratoire, etc.
TRAVAIL SOCIAL - Santé/social/éducation	Donner des informations, apporter une relation d'aide, vous impliquer avec les gens, rendre service, prendre soin des malades, animer des groupes, etc.	Infirmier, médecin, animateur communautaire, technicien en loisirs, préposé aux bénéficiaires, enseignant, serveur, travailleur social, etc.
TRAVAIL D'ENTREPRE-NEUR - Marketing/vente/commerce/affaires	Prendre des décisions, diriger du personnel ou des activités, persuader les gens, vendre des produits ou des services, défendre une cause ou des idées, etc.	Vendeur, avocat, directeur de département ou d'entreprise, gérant de commerce, publiciste, contremaître, policier, représentant, agent d'immeuble, etc.
TRAVAIL DE BUREAU - Secrétariat/bureau/informatique	Accomplir un travail méthodique et bien défini, dactylographier ou vérifier des rapports, faire la facturation, travailler avec des appareils de bureau, manipuler des dossiers, etc.	Secrétaire, commis-comptable, fonctionnaire, commis de bureau, opérateur de traitement de texte, caissier, etc.
TRAVAIL ARTISTIQUE - Décoration/mode/esthétique/création	Écrire, faire de la photo, jouer d'un instrument de musique, dessiner, réaliser des scénarios, concevoir des aménagements intérieurs, faire de la décoration, dessiner des vêtements de mode ou des nouvelles coiffures, etc.	Monteur (image et son), photographe, journaliste, réalisateur, metteur en scène, artiste, écrivain, scénariste, interprète, coiffeur, dessinateur de mode, graphiste, etc.

Le genre masculin utilisé dans ce tableau désigne autant les femmes que les hommes.

ET VOUS

VOS INTÉRÊTS ET APTITUDES	VOS CHOIX

La motivation réelle

Nous allons maintenant illustrer l'importance de savoir se motiver avant tout pour soi-même.

Voici le cas d'une femme embauchée par une petite entreprise de vente de service dont le succès dépendait presque exclusivement de l'efficacité de ses cinq employés.

L'employeur, aussi une femme, expliqua ses attentes à la nouvelle venue dès le premier jour. Honnête mais très exigeante, elle souligna que les heures de travail pouvaient être variables et qu'il fallait non seulement trimer dur mais aussi, à certaines occasions, chauffer la machine et pousser la vente.

Le même soir, chez elle, la «recrue» évalua jusqu'à quel point elle adhérait aux exigences de la directrice.

Celle-ci lui apparaissait comme un véritable bourreau du travail. «Je savais très bien, dit-elle, que fournir un rendement médiocre ne m'apporterait aucune satisfaction. D'autre part, j'étais loin de partager la motivation de l'employeur. Après tout, je n'avais aucun intérêt dans cette compagnie.»

Elle réfléchit donc à ce qui pouvait la toucher personnellement dans ces nouvelles fonctions, outre un salaire très normal. D'abord, elle jugea que c'était là l'occasion idéale d'apprendre le fonctionnement d'une petite entreprise. Ensuite, ce travail ne lui permettrait-il pas d'établir de nombreux contacts avec le public?... De cette façon, elle définit plusieurs raisons personnelles pouvant la motiver réellement pour son nouvel emploi. Elle décida de relever le défi.

Durant les deux premières semaines, elle prit connaissance de tout ce que la petite compagnie avait accompli depuis ses débuts. Elle s'intéressa à tous les aspects de l'entreprise. Elle trouva aussi la façon de discuter avec son employeur. Elle put lui apporter des suggestions et même, à l'occasion, le conseiller sur des décisions importantes. Inutile de préciser que son employeur était ravi et commençait à considérer sa nouvelle acquisition comme une perle rare.

En s'impliquant à 100% (et pour des motifs avant tout personnels), elle en vint à trouver son travail passionnant.

La motivation réelle est bien le moteur de l'action et de la réalisation. «Pour avoir le goût d'agir, prétend un conseiller professionnel en orientation, il faut savoir que l'on agit avant tout pour soi.»

Où faut-il chercher un emploi?

Partir à la recherche d'un emploi, c'est comme partir en expédition. Le premier pas est ce moment décisif où vous avez choisi de partir. Vous avez ensuite défini vos intérêts et précisé votre destination (champ d'action). Regardons maintenant la carte des parcours.

Plusieurs itinéraires sont à envisager. Soulignons d'abord, pour les voies principales, la présence des centres d'emploi provincial et fédéral les plus près de chez vous. Un conseiller vous y rencontrera et vous fera remplir un formulaire d'inscription. Cette fiche sera placée dans une banque de dossiers à laquelle se réfèrent les conseillers quand les employeurs présentent des demandes de candidats.

Insistez aussi pour que l'on vous explique les programmes d'aide ou de formation à l'emploi disponibles. Il existe de très bons programmes d'intégration au marché du travail.

Ensuite, il y a la sélection méthodique des annonces des journaux. Classez ces annonces selon le champ d'action du secteur d'emploi que vous avez défini plus tôt (tableau) et qui correspond à vos aspirations.

Cette sélection doit être systématique. Dans le flot quotidien des emplois offerts par les journaux, plusieurs de ces offres sont futiles (surtout dans les secteurs de la vente et de la sollicitation). Parfois, il n'y a aucun salaire de base et il n'est pas rare que ces employeurs soient tout simplement des exploiteurs. Comment reconnaître ces mauvaises offres d'emploi? En appelant, on vous invite à une entrevue sans vous expliquer quoi que ce soit au téléphone. Quoi de plus démoralisant que de perdre son temps et son enthousiasme à des démarches inutiles!

Troisièmement, vous pouvez passer par une agence de placement. Une bonne agence peut vous orienter et même vous trouver un poste.

En règle générale, une agence de placement se constitue une banque de candidats et trouve ses intérêts avec les employeurs à qui elle prélève une cote sur le salaire. Vous ne devez rien défrayer pour faire partie d'une agence de placement. Il en existe plusieurs à Montréal et vous pouvez facilement les retracer dans les pages jaunes de l'annuaire téléphonique.

Quatrièmement: le bouche à oreille. Laissez savoir à vos parents, amis et connaissances que vous êtes activement à la recherche d'un emploi.

Il est important d'afficher clairement sa situation de chercheur d'emploi.

Faites confiance à vos proches et à vos amis. Ils ont certainement déjà connu cette période mouvementée dans leur vie. Ils pourraient vous donner des «tuyaux» inespérés.

Cinquièmement, établissez des contacts avec les gens œuvrant dans votre domaine. Téléphonez à ces «contacts» de temps à autre, ne serait-ce que pour avoir des nouvelles. Informez-vous s'ils n'auraient pas des conseils à vous donner. De votre côté, assurez-vous de ne pas avoir l'air de «quémander». Soyez perspicace.

Sixièmement, allez visiter les entreprises qui vous intéressent et offrez vos services aux responsables en place. Cette façon même de procéder dénote une détermination et un courage auxquels les employeurs ne sont jamais insensibles.

Un jour, une dessinatrice qui s'était présentée plusieurs fois sans succès auprès d'une importante maison de vêtements de mode de Québec eut la surprise de sa vie quand, par un bel après-midi d'été, assise à la terrasse d'un café, elle vit arriver le chef du personnel de la maison qui lui dit: « Enfin, vous voilà! Ça fait deux jours que j'essaie de vous joindre partout. Nous avons besoin de vos services immédiatement. »

Ne croyez pas que les employeurs vont courir après vous de la sorte, mais il est primordial de se faire connaître et de laisser ses coordonnées.

Septièmement, enfin, pour les voies principales, renseignez-vous auprès des Chambres de commerce et des autres organismes de votre région.

Voilà donc les routes habituelles pouvant vous mener à destination. Il est fortement recommandé de les emprunter toutes à la fois. Voici, d'autre part, des voies moins connues.

Servez-vous de votre sixième sens. Improvisez, trouvez de nouvelles issues, de nouvelles stratégies directement liées à votre travail. Vous avez une idée qui pourrait intéresser un employeur? Foncez! Les employeurs aiment les idées nouvelles et les candidats affichant de l'enthousiasme pour leur entreprise.

Avez-vous déjà pensé à créer votre propre emploi? Beaucoup de gens aujourd'hui improvisent dans la vente de service, la rénovation, le transport, la consultation informatique, la publicité, le commerce, etc. Ces initiatives aboutissent parfois à des résultats très concluants.

Nous vivons par ailleurs dans une société où le travail au noir (s'il ne s'agit pas de combines frauduleuses, bien sûr) n'est pas vraiment découragé. «Peu importe d'où viennent vos revenus, dit le vieil adage, mais il faut en avoir.»

Un jour, un ami qui faisait d'importantes rénovations sur une façade de sa maison s'est vu offrir un marché par deux jeunes hommes qui passaient devant chez lui avec un camion. «Pour 200 $, firent-ils, nous nettoyons et vidons toute la cour arrière.» Le marché fut conclu sur-le-champ.

Téléphoner régulièrement aux mêmes employeurs, se faire voir le plus souvent possible, se présenter aux veilles de Noël et du Jour de l'An ou durant les périodes chaudes de l'été quand les employeurs ont de la difficulté à rejoindre leur personnel régulier; voilà autant de bonnes occasions de s'introduire.

Comme on peut le voir, notre carte de voyage n'est pas limitée. Mais avant de partir, préparons nos bagages.

La préparation du curriculum vitae

BEAUCOUP PLUS FACILE QUE VOUS PENSIEZ!

Un employeur qui fera appel à vos services le fera parce qu'il juge que plusieurs aspects de vos compétences ou de votre force de travail fourniront ces services. En payant vos services, il attend en retour un rendement précis. Sa décision de vous embaucher s'appuiera par conséquent sur de bonnes informations à votre sujet.

Alors, avant de vous engager, avant même de vous rencontrer le plus souvent, un employeur exigera votre curriculum vitae.

Comment dites-vous? Vous ne savez pas taper à la machine? Vous craignez que votre curriculum vitae ne soit pas parfait ou vous ne savez tout simplement pas comment vous y prendre? Ne vous cassez pas la tête, c'est facile.

Nous adopterons un modèle de curriculum vitae très simple mais efficace.

Pour ce qui est des fautes d'orthographe et de la machine à écrire, consultez un ami ou une personne ressource pouvant effectuer ce travail au propre. Il y a beaucoup d'étudiants(es) qui, en retour de quelques dollars, effectueront ce travail de dactylographie pour vous. Rendez-vous dans une université et consultez les babillards ou jetez un coup d'œil aux offres de service des petites annonces des journaux.

Plus un curriculum vitae est présenté de façon propre et concise, plus il est susceptible d'intéresser un employeur.

Le directeur du personnel d'un centre hospitalier de Montréal me disait récemment à propos des nombreux curriculum vitae qu'il recevait à son bureau: «Je lis la première page d'un C.V. et je parcours la deuxième en diagonale. Ensuite, je classe les C.V. reçus en trois sections: Très intéressant, Intéressant et Nul.»

Dommage pour ceux qui ont utilisé la première page à dire qu'ils aimaient le ski, la nature et le bowling. Ou encore qu'ils avaient réussi leur prématernelle à Saint-Philémon en 1958...

Tous les employeurs ne sont pas aussi expéditifs, mais retenez déjà ce point important: un curriculum vitae doit présenter votre formation et vos expériences de travail. Non pas votre vie en long et en large. Ni même des expériences de travail n'ayant rien à voir avec vos objectifs actuels. Passez à l'essentiel. Ce sera beaucoup plus facile pour vous et surtout pour la personne qui vous lira.

Le curriculum vitae doit être un bon outil publicitaire. Il doit autant renseigner son lecteur que **l'intéresser** à vous. Même si l'employeur consciencieux ne cherche pas tant le C.V. le plus attrayant, il doit faire une présélection. Et ses choix s'arrêteront logiquement sur les candidatures les mieux présentées. Ainsi, dès la première page, il doit **voir** l'essentiel de vos compétences et de vos prétentions.

D'autre part, il ne faut pas «gonfler» un C.V. Si votre formation ou vos compétences ne dépassent pas un certain niveau, tenez-vous-en à ce niveau sur le C.V. À quoi bon vous attribuer des atouts que vous ne possédez pas? Vous perdrez tout autant votre temps que vous ferez perdre celui de l'employeur. Par contre, insistez sur les points forts de vos expériences et de vos aptitudes.

En vous présentant en entrevue avec un C.V. complet et fidèle à vos compétences, vous serez certainement plus à l'aise pour discuter.

Quelques bons conseils avant de rédiger votre C.V.

Peut-on présenter un C.V. dans un étui plastifié ? Peut-on faire la page de couverture avec du «lettraset» ? Doit-on présenter une impression laser ? Peut-on utiliser du papier parchemin de couleur ? Peut-on mettre une photo ?

À toutes ces questions (sauf pour la photo), la réponse est oui. Mais dites-vous bien une chose : l'employeur qui attend votre C.V. n'attend pas un chef-d'œuvre de graphisme. Le directeur du personnel de IBM au Québec, entre autres, est très clair à ce sujet. «Nous épluchons les C.V. rapidement, dit M. Yves Lagueux. Les œuvres d'art ou les

C.V. incluant des photos, des dessins ou de la couleur, etc. sont écartés. Le C.V. doit être normal, propre et facile à lire.»

Un C.V. dactylographié peut être tout aussi efficace qu'un autre, écrit par exemple, avec un logiciel de mise en pages. À moins, bien sûr, de répondre à une offre d'emploi au poste de graphiste ou à tout autre poste impliquant la préparation de documents pour publication.

Selon Nancy Dickson, conseillère principale aux ressources humaines chez Provigo, l'objectif d'un C.V. est d'en dire juste assez pour éveiller l'intérêt et encourager la personne qui le lit à vouloir en savoir davantage. «Ce qui est important, pour cette personne, c'est qu'elle trouve les bons renseignements au premier coup d'œil.»

En ce qui nous concerne, nous travaillerons surtout à la préparation du C.V. chronologique, c'est-à-dire qui présente vos expériences et votre formation pertinentes à l'emploi recherché, en commençant par les plus récentes, et ainsi de suite, en reculant dans le temps. Il a l'avantage d'être facile à consulter par toutes les personnes qui le lisent.

Votre C.V. ne doit pas relater 25 ans d'expérience. Pour la directrice du service d'embauche au CN (région du Saint-Laurent), les cinq dernières années suffisent. «Ce n'est pas important pour nous de savoir ce que vous faisiez il y a 15 ans, dit Mme Denise McLachlan. Il faut éviter ces détails.»

Pour certains professionnels, cadres ou employés supérieurs, le C.V. doit être présenté de façon à étayer davantage la description des tâches, des activités et des réalisations accomplies. Un modèle de ce type de C.V. apparaît à la suite des C.V. chronologiques sur lesquels nous insistons dans ces pages. Utilisez le modèle de C.V. que vous voulez, mais assurez-vous qu'il reflète le mieux possible qui vous êtes. Écrivez l'essentiel, supprimez les détails.

Le curriculum vitae

Dans les prochaines pages, vous trouverez les directives à suivre pour rédiger votre curriculum vitae et le présenter tel que l'exigent la plupart des employeurs.

1. Les coordonnées

La première étape dans la rédaction d'un curriculum vitae est la présentation de vos coordonnées les plus élémentaires. Quel est votre nom? Où demeurez-vous? À quels numéros de téléphone peut-on vous joindre?

2. Le poste recherché

Ensuite, si vous savez précisément quel type d'emploi vous recherchez, vous pouvez l'indiquer sous la mention POSTE RECHERCHÉ. Si vous hésitez ou si vous avez plusieurs choix, oubliez cette mention. En général, les employeurs aiment bien que cette mention soit indiquée. Le problème cependant pour le candidat, c'est que, même si ce dernier connaît parfaitement le poste qu'il recherche, ce poste peut être intitulé de diverses façons dans les offres d'emplois. Nous conseillons donc de mentionner le poste recherché dans la lettre de présentation.

3. **Expérience ou formation (selon le cas)**

Commencez ensuite à énumérer, selon le cas, vos expériences de travail ou votre formation. Il s'agit d'inscrire en premier lieu les données qui vous avantagent. Si, en rapport avec l'emploi recherché, vous avez une formation plus pertinente que l'expérience de travail, commencez par la formation. Si, au contraire, vos expériences de travail sont plus valables, indiquez celles-ci en premier lieu. Dans notre exemple, nous enchaînerons avec l'expérience de travail.

4. **Expérience**

Commencez par votre emploi le plus récent ou celui que vous occupez présentement. Indiquez d'abord dans le côté gauche de votre feuille (selon les marges établies que nous verrons plus loin) les mois et les années de début et de fin d'emploi. Puis du côté droit de la feuille à partir du centre, indiquez le nom de la compagnie, de l'employeur et de la ville où ce dernier est (ou était) situé. L'adresse exacte n'est pas si importante puisque l'éventuel employeur, à ce stade-ci, ne pense pas tant à vérifier les adresses qu'à faire une présélection parmi le grand nombre de C.V. qu'il recevra à son bureau. Libre à vous de l'indiquer ou non.

5. Type d'entreprise

Il est utile cependant de donner des précisions (très brèves) quant au genre d'entreprise dont il s'agit. Quelle est sa spécialité? Quelle est sa dimension? Combien y a-t-il d'employés? Etc. Pas plus de deux lignes.

6. Poste

Vous indiquez le titre du poste que vous occupiez à cet endroit.

7. Responsabilités

Vous arrivez maintenant à la partie la plus intéressante pour un éventuel employeur, c'est-à-dire la description des tâches (ou des responsabilités) que vous aviez à remplir à ce poste. C'est très simple. Il s'agit de vous rappeler les tâches qui vous étaient assignées et de les décrire en quelques mots en commençant par les plus importantes.

Pour vous faciliter le travail, dressez une liste pêle-mêle des tâches que vous aviez à remplir à cet emploi. Quelques mots seulement par tâche. Numérotez ensuite les descriptions selon leur importance en fonction de cet emploi et de celui que vous sollicitez. Quand cela sera fait, rédigez cette liste dans l'ordre. Essayez d'être bref dans votre description des tâches; pas plus de deux ou trois lignes par description. N'oubliez pas que votre C.V. doit tenir sur deux pages ou trois, au maximum. Vous trouverez une liste de descriptions des tâches un peu plus loin. Il n'est pas nécessaire de préciser les salaires ou les raisons du départ. Ces informations peuvent jouer contre vous.

Passez maintenant à l'emploi suivant et procédez de la même façon. **Il faut toujours garder à l'esprit l'objectif ou l'orientation de votre C.V.** Ainsi, accordez surtout de l'importance aux emplois ayant une relation avec celui que vous convoitez. Soyez bref pour les expériences de travail n'ayant pas de liens réels avec l'emploi recherché ou insérez-les dans une partie intitulée AUTRE EXPÉRIENCE.

S'il y a des « trous », c'est-à-dire de longues périodes sans travail, servez-vous de votre imagination. Cela ne veut pas dire de mentir, mais bien de se rappeler des expériences personnelles ou sociales que vous pourriez convertir en expériences de travail et les insérer à l'intérieur de ces périodes creuses.

8. **La formation**

Après avoir fait le bilan de vos expériences de travail, vous arriverez maintenant à la formation (ou vice versa, selon le choix du début).

Encore une fois, vous inscrivez à gauche les années de début et de fin d'études de chaque institution fréquentée en commençant par la plus récente. À la droite de votre feuille, toujours à partir du centre, mentionnez d'abord le titre du diplôme obtenu ou du cours suivi. Écrivez ensuite le nom de l'institution (ou de l'école) et la ville où elle était située. L'adresse complète n'est pas nécessaire.

Si vous jugez que votre formation doit être mise davantage en évidence, soit parce que vous avez peu d'expérience de travail, soit parce qu'elle est directement liée à l'emploi sollicité (votre formation, dans ce cas, viendra avant l'expérience de travail), présentez un sous-titre intitulé **Cours suivis** ou **Connaissances acquises** et faites une description plus importante de vos études. Par exemple, si vous avez étudié en comptabilité, indiquez que vous avez appris à faire de la tenue de livre, etc. Même chose pour les autres professions ou métiers. Décrivez ce que vous avez pratiqué en atelier, par exemple.

Du côté des études, arrêtez-vous au cours secondaire; inutile de mentionner les études primaires.

Si vous avez eu une formation ou suivi des cours donnés par des institutions privées ou des entreprises, indiquez-le de la même façon.

9. Stages

Cette partie s'adresse à ceux qui ont effectué un (ou des) stage(s) pendant leurs études ou à l'emploi d'une entreprise. Il faut procéder sensiblement de la même façon que pour la description d'un emploi.

10. Autre expérience

La partie AUTRE EXPÉRIENCE doit mettre en relief des expériences de travail (même bénévoles) pertinentes mais n'ayant pas de liens réels avec l'emploi recherché.

11. Les renseignements personnels

La section des renseignements personnels est la partie la plus simple du curriculum vitae. Vous indiquez d'abord votre date de naissance. Puis, si vous êtes bilingue (précisez-le si vous êtes **parfait** bilingue).

Ensuite, libre à vous d'indiquer votre numéro d'assurance sociale, si vous êtes marié(e), célibataire ou si vous avez des enfants. Cette section peut aussi servir à indiquer si vous êtes membre d'associations professionnelles ou de quelque autre organisme. Vous pouvez encore mentionner que vous jouissez d'une excellente santé (si tel est le cas) et énumérer quelques loisirs préférés. Pour terminer, inscrivez la mention «Excellentes références sur demande» ou «Références sur demande».

SUIVEZ LE GUIDE

Voici maintenant un guide pratique qui vous indiquera comment disposer les blocs d'informations que nous venons de voir.

Si vous n'avez pas de machine à écrire, rédigez tout de même votre C.V. à la main en respectant les marges et les interlignes donnés. Ainsi conçu, le brouillon sera fin prêt à dactylographier dès que vous aurez quelqu'un pour le faire.

Ce guide est déjà présenté selon une disposition graphique que vous n'avez qu'à respecter.

Par exemple, à l'endroit où nous vous suggérons d'inscrire le NOM, vous pouvez l'écrire en lettres majuscules, comme nous l'avons fait avec le mot NOM. Il en va de même pour l'adresse, en lettres minuscules, et pour toutes les mentions du C.V. En fait, vous n'avez qu'à copier la disposition suggérée en fournissant les renseignements réels de votre situation.

Vous trouverez plus loin une série de curriculum vitae touchant divers secteurs d'activités et auxquels vous pourrez vous référer, de près ou de loin, pour préparer le vôtre.

Nous vous proposons même, comme nous le mentionnions plus tôt, une liste de phrases toutes faites de descriptions de tâches. Si elles collent à votre cas, vous n'avez qu'à les reprendre telles quelles ou les modifier en conséquence. Sinon, elles peuvent servir d'exemples.

Rappelez-vous enfin que vous devez commencer par la formation ou l'emploi le plus récent, et que votre C.V. doit tenir sur deux pages, trois au maximum.

Pour centrer votre feuille, servez-vous d'une règle et comptez le nombre de frappes du mot CURRICULUM VITAE (16 frappes). À partir du centre, calculez 8 frappes vers la gauche (soit la moitié) et commencez à taper (ou à écrire). Ce centre vous servira pour rédiger toutes les mentions de votre C.V.

En ce qui a trait à la marge, laissez au moins 3 cm dans le haut et le bas de la page ainsi que sur les côtés.

NOM

(passez 1 interligne)

Adresse complète ....
....
Code postal

Domicile: (...) ...-...
Message: (...) ...-...

POSTE RECHERCHÉ (si très précis)
(passez 1 interligne)

Titre du poste recherché
(passez 2 interlignes)

EXPÉRIENCE
(passez 1 interligne)

MOIS ET ANNÉE D'ENTRÉE ET DE DÉPART (ex.: DE JUIN 83 À CE JOUR)	NOM DE L'ENTREPRISE, Ville (Genre d'entreprise) (passez 1 interligne)
POSTE:	Titre du poste occupé (passez 1 interligne et 1 autre entre chaque description de tâche)
Responsabilités:	Description d'une première tâche ou responsabilité remplie à ce poste. (passez 1 interligne)
	Description d'une deuxième tâche et ainsi de suite. (Quand cette description des tâches sera terminée, passez 2 interlignes et allez à l'emploi suivant.)
MOIS ET ANNÉE D'ENTRÉE ET DE DÉPART	NOM DE L'ENTREPRISE, Ville (Genre d'entreprise) (passez 1 interligne)
POSTE:	Titre du poste occupé (passez 1 interligne et 1 autre entre chaque description de tâche)

Responsabilités :	Description des tâches et responsabilités selon le même cheminement qu'au premier emploi. Vous procédez de la même façon pour les emplois suivants jusqu'au bloc FORMATION ou ÉTUDES. (passez là aussi 2 interlignes)

FORMATION
(passez 1 interligne)

MOIS ET ANNÉE D'ENTRÉE ET DE DÉPART	DIPLÔME OU CERTIFICAT OBTENU Spécialisation (s'il y a lieu) Nom de l'institution, Ville (passez 1 interligne
Techniques ou connaissances acquises (si vous tenez à les mettre en relief)	Nom des disciplines ou techniques acquises (faites un tiret devant chaque mention). (passez 1 interligne avant de passer à une autre phase de votre formation)
MOIS ET ANNÉE D'ENTRÉE ET DE DÉPART	DIPLÔME OU CERTIFICAT OBTENU (suivez le même cheminement que ci-haut et passez 2 interlignes)

STAGE(S)
(passez 1 interligne)

MOIS ET ANNÉE D'ENTRÉE ET DE DÉPART	NOM DE L'ENTREPRISE, Ville (Genre d'entreprise) (passez 1 interligne)
POSTE :	Titre du poste occupé (s'il y a lieu) (passez 1 interligne)
Responsabilités :	Description des tâches et responsabilités selon le même principe qu'un emploi. (Cette description terminée, passez 2 interlignes et allez au stage suivant, s'il y a lieu.)

AUTRE EXPÉRIENCE
(passez 1 interligne)

MOIS ET ANNÉE
D'ENTRÉE ET DE DÉPART

NOM DE L'ENTREPRISE, Ville
(Genre d'entreprise)
(passez 1 interligne)

POSTE:

Titre du poste occupé
(passez 1 interligne)

Responsabilités:

Description des tâches et des responsabilités selon le même principe que pour un emploi. (Cette description terminée, passez 2 interlignes et allez à une autre expérience, s'il y a lieu.)

RENSEIGNEMENTS PERSONNELS
(passez 1 interligne)

Né(e) le XX janvier 19XX.
(passez 1 interligne)

Bilingue ou parfait bilingue.
(passez 1 interligne)

Loisirs: mentionnez 2 ou 3 activités.
(passez 1 interligne)

N.A.S.: (facultatif)
(passez 1 interligne)

Marié, célibataire: (facultatif)
(passez 1 interligne)

Membre de l'association professionnelle...
(passez 1 interligne)

Excellentes références sur demande.

(autres)

EXEMPLES DE DESCRIPTIONS DE TÂCHES

Si vous éprouvez de la difficulté à rédiger les descriptions de tâches (ou responsabilités) de vos emplois, voici plusieurs exemples de descriptions que vous pouvez modifier ou adapter à votre cas.

— Recevoir et servir les clients.
— Planifier les horaires des employés.
— Vérifier la balance des ventes.
— Voir à la bonne marche de la production.
— Effectuer les réparations mécaniques (ou électriques, ou autres).
— Faire du classement.
— Établir des statistiques sur le potentiel et les caractéristiques d'achats des clients.
— Vérifier les bons de commande et la facturation.
— Tenir un rapport cumulatif journalier, mensuel et annuel.
— Faire l'inventaire.
— Superviser le travail de X employés.
— Diriger et coordonner le travail de X employés.
— Inspecter les produits.
— Vérifier la qualité des produits.
— Préparer les commandes pour l'expédition.
— Recevoir et placer la marchandise.
— Être responsable des chèques émis aux fournisseurs.
— Faire la vérification des comptes.
— Assister le gérant du service des ventes.
— Avoir la responsabilité de la division des pièces.
— Établir et tenir les inventaires.
— Faire la lecture et la vérification de plans.
— Inspecter les travaux effectués par les machinistes (ou les mécaniciens, ou autres).

- Assurer la maintenance des systèmes de chauffage, ventilation, plomberie, etc.
- Dessiner les plans.
- Préparer et soumettre les devis.
- Assurer la bonne rotation des stocks.
- Voir à la réparation et à l'entretien des machines.
- Voir à l'entretien du magasin.
- Avoir la responsabilité de la caisse.
- Préparer les achats et passer les commandes.
- Travailler sur les machines suivantes : tour, fraiseuse, rectifieuse, etc.
- Être responsable des comptes à payer et des comptes à recevoir.
- Préparer les prévisions budgétaires.
- Faire l'estimation des quantités et des coûts.
- Procéder à l'installation de systèmes d'ordinateur à contrôle digital (ou autres).
- Planifier, diriger et coordonner le travail de X électriciens.
- Faire des installations et des réparations électriques.
- Rédiger les lettres du directeur.
- Faire du dictaphone.
- Recevoir et acheminer les appels, le courrier (ou autres).
- Diriger et placer les clients aux tables.
- Etc.

LA LETTRE DE PRÉSENTATION

Il faut toujours joindre une lettre de présentation à un curriculum vitae. Cette lettre a pour objectif d'établir un contact personnel avec l'employeur. Mais surtout, elle doit l'inciter à vous recevoir en entrevue. Il y a deux sortes de lettres : la lettre spécifique et la lettre générale.

Dans les deux cas, la lettre doit être brève et convaincante. Pour rédiger une lettre spécifique, renseignez-vous sur la nature de l'emploi offert et sur la compagnie. Essayez de connaître le nom et le poste de votre interlocuteur en téléphonant à l'entreprise. À moins, bien sûr, que ces informations ne soient déjà indiquées dans l'offre d'emploi. La lettre spécifique vous permet de mettre vos compétences en relief pour une offre d'emploi précise.

Nous proposons de structurer la composition de cette lettre en trois parties. D'abord, une introduction dans laquelle vous faites savoir quand, comment et où vous avez pris connaissance du poste offert.

Dans un deuxième temps, vous devez exprimer clairement pourquoi, selon vous, vous êtes le candidat idéal pour ce poste. Cette partie de la lettre doit vous faire valoir au maximum. Assurez-vous de résumer, en plus de vos prétentions, le meilleur de tout ce que vous avez décrit dans votre C.V. Vous devez captiver votre lecteur, l'intéresser à vous, l'obliger à aller plus loin.

Dans un troisième temps enfin, utilisez une formule de courtoisie usuelle. Vous pouvez aussi laisser entendre à l'employeur que vous lui téléphonerez sous peu (si, bien sûr, vous prévoyez le contacter, en plus de lui faire parvenir votre C.V.). Indiquez ensuite vos nom, adresse et numéro(s) de téléphone. Signez la lettre de main propre.

Il va sans dire qu'une lettre destinée à un emploi spécifique est beaucoup plus efficace qu'une lettre générale. La lettre spécifique vous permet de rédiger le texte en fonction des exigences précises du poste offert. D'autre part, la lettre générale vous permet de faire des envois systématiques ou de vous dépanner quand vous êtes bousculé par le temps.

La construction d'une lettre générale se fait aussi en trois parties. D'abord, vous indiquez brièvement que vous désirez poser votre candidature. Ensuite, vous présentez immédiatement les points forts de vos expériences, de votre formation et de votre personnalité (dynamique, responsable, etc.). Vous terminez par une formule de politesse.

Il faut laisser l'espace nécessaire en haut de votre feuille, du côté gauche, pour ajouter, à chaque envoi, le nom et l'adresse du destinataire. La date doit être indiquée du côté droit, à partir du centre de la feuille. À la limite, pour des envois urgents, vous pouvez rédiger cette lettre à la main. Et alors, assurez-vous qu'elle soit présentée de façon impeccable. Il est toujours préférable cependant que cette lettre soit dactylographiée.

DOUZE EXEMPLES DE C.V. COMPLETS

Plutôt que d'étaler plusieurs modèles de présentation du C.V. (ce qui peut mêler les cartes à notre avis), nous vous présentons un modèle standard appliqué à plusieurs occupations ou secteurs d'activités. Tous les exemples que vous verrez sont inspirés de cas réels.

Chaque C.V. est précédé de la lettre d'introduction s'y rapportant. De cette façon, dans chacun des cas, vous retrouvez un C.V. complet tel que les employeurs désirent le recevoir. En ce qui a trait à la lettre, rien ne vous empêche de reprendre mot à mot (ou presque) certaines formalités d'usage.

En somme, votre propre C.V. pourra ressembler de très près, pour la forme, à ceux qui suivent.

Notons enfin qu'il est plus facile de rédiger le C.V. avant la lettre de présentation.

ASSISTANTE-COMPTABLE

Montréal, le 9 janvier 199X

Banque de Montréal
Monsieur Luc Joyal
Directeur du personnel
150, rue Sherbrooke Ouest
MONTRÉAL (Québec)
X3X 3Z3

Monsieur,

Je viens d'apprendre en consultant le journal «AFFAIRE» que vous êtes à la recherche d'une assistante-comptable. Ce poste m'intéresse énormément.

J'ai 7 ans d'expérience à l'emploi de la BANQUE NATIONALE, à Montréal. Cet emploi m'a permis d'acquérir un bon sens des responsabilités et une grande facilité de communication avec le public.

Je suis parfaitement bilingue, je peux faire preuve de beaucoup d'initiative et établir rapidement des relations d'estime et de confiance avec le public ou la clientèle. Je cherche présentement un poste me permettant de relever de nouveaux défis.

Pour de plus amples renseignements, vous pouvez me rejoindre en tout temps aux numéros de téléphone ci-dessous. Je vous remercie de l'attention que vous porterez à ma candidature et vous prie d'agréer, Monsieur, l'expression de mes sentiments distingués.

Johanne Dupont
100, boul. Décarie app. 9
Montréal (Québec)
Q5Q 0U0

(514) 999-9999
(514) 888-8888

/jd
pièce jointe

CURRICULUM VITAE

JOHANNE DUPONT

100, boul. Décarie, app. 9   Résidence: (514) 999-9999
Montréal (Québec)   Q5Q 0U0   Message: (514) 888-8888

EXPÉRIENCE

DE MARS 80 À CE
JOUR

BANQUE NATIONALE

100 Sherbrooke Ouest, Montréal

POSTES:

Officier de banque, aide-comptable,
préposée au change étranger et caissière

Responsabilités:

Voir à la préparation de ventes de mandats.

Participer à l'accroissement des dépôts et
à la vente de tous les services de la
banque.

Faire la promotion de services tels que: la
carte VISA, les régimes épargne/retraite
et les certificats d'épargne/placement.

Être responsable des changes étrangers
(convertir les devises étrangères et faire
des placements).

Recevoir et servir les nouveaux clients.

Ouvrir les comptes et vendre différents
services offerts.

À titre d'aide-comptable, faire les entrées
au grand livre.

Être préposée aux prêts et faire les entrées
mensuelles des paiements.

FORMATION

DE 1976 À 1979	TECHNIQUES ADMINISTRATIVES (Option Gestion du personnel) CEGEP Maisonneuve Montréal

Cours suivis:
- Comptabilité
- Marketing
- Gestion des affaires
- Etc.

1984-1985   STÉNO-DACTYLO ET ANGLAIS AVANCÉ
CEGEP Bois-de-Boulogne
(Cours du soir/Éducation aux adultes)
Montréal

JUIN 76   SECONDAIRE V
École Secondaire Mont-Royal
(École privée)
Montréal

EN COURS   CERTIFICAT EN GESTION BANCAIRE
Université McGill
(Institut canadien des banquiers)
Montréal

ASSOCIATIONS

Membre de l'Institut canadien des banquiers.

Membre de la Fédération de karaté du Québec depuis 1980
(ceinture noire).

RENSEIGNEMENTS PERSONNELS

Née le 18 mai 1960.
N.A.S.: 100-100-100
Célibataire.
Loisirs: lecture, musique, cinéma et les sports en général.
Parfaitement bilingue.
Dactylo, sténo, expérience sur les ordinateurs.
Très bonne santé.
Excellentes références sur demande.

CHEF DE CABINE ET AGENTE DE BORD
(HÔTESSE DE L'AIR)

Montréal, le 3 mai 199X

Madame Lisette Pépin
Personnel Canadien-Air-Mer-Inc.
C.P. 200
DORVAL (Québec)
H5C 1E6

Référence : No 87-12-160-LP-06

Madame,

Suite à l'annonce parue dans le « COURRIER DU NORD » je vous vous fais parvenir ma candidature à titre de chef de cabine.

J'ai 10 ans d'expérience à titre d'agente de bord et chef de cabine, à l'emploi de la compagnie aérienne AIR CANADA. J'ai aussi une formation professionnelle pour agente de bord.

Ce travail m'a permis d'acquérir une vaste expérience comme chef de cabine. Mes fonctions consistaient à coordonner et superviser le travail de 5 hôtesses en plus d'accueillir les passagers et m'assurer de leur confort.

Ayant une grande facilité de communication, je peux rapidement établir des relations d'estime et de confiance avec le public.

Dans l'attente de votre réponse, je vous prie de recevoir, Madame, mes meilleures salutations.

Sylvie Lemieux
1000, rue St-Onge
Montréal (Québec)
K1K 1K1

(514) 777-7777
(514) 666-6666

/sl
p.j.

CURRICULUM VITAE

SYLVIE LEMIEUX

1000, rue St-Onge, Montréal	Résidence: (514) 777-7777
(Québec) K1K 1K1	Message: (514) 666-6666

EXPÉRIENCE

DE 1975 À 1985	AIR CANADA, Dorval
POSTE:	Chef de cabine et agente de bord
Responsabilités:	À titre de chef de cabine, superviser le travail de 5 agents de bord (coordination et répartition des tâches).
	Recevoir les passagers et s'assurer de leur confort.
	Entretenir la liaison entre la cabine de pilotage et la cabine des passagers.
	Voir à la sécurité des passagers.
	Faire les annonces aux passagers.
	Connaître de l'équipement d'urgence à bord et des directives à suivre en cas d'urgence.

AUTRE EXPÉRIENCE

DE AOÛT À CE JOUR	BOUTIQUE DENIN Rue Ste-Catherine, Montréal
POSTE:	Commis-vendeuse
DE DEC. 85 à JUIL. 86	BOUTIQUE DE SERTE Bordeaux, France
POSTE:	Commis-vendeuse

FORMATION

1975	**FORMATION PROFESSIONNELLE POUR AGENTS DE BORD** Bordeaux, France
DE 1971 À 1975	**LYCÉE DE BORDEAUX** France

RENSEIGNEMENTS PERSONNELS

Née le 8 février 1965.

N.A.S. : 100-100-100

Loisirs - sports : natation, lecture, théâtre, cinéma.

Santé excellente.

Excellentes références sur demande.

CUISINIER

Montréal, le . . . . 19 . . . . .

Entreprise . . . . ·
Adresse . . . . ·
VILLE . . . . (Province) . . . .
C.P. . . . .

Madame,
Monsieur,

Je désire poser ma candidature à titre de cuisinier ou sous-chef.

Comme le précise mon curriculum vitae ci-joint, j'ai une formation pratique et théorique en CUISINE de la Polyvalente Jacques-Rousseau, à Longueuil, ainsi qu'une expérience de stage pour le HOLIDAY INN, à Longueuil.

De plus, j'ai deux ans d'expérience à titre de <u>second, grillardin</u> et <u>cuisinier</u> pour les établissements suivants : LE CENTRE SPORTIF ROSEMÈRE (300 places), BRASSERIE LES HIRONDELLES (500 places), à Boucherville, et le restaurant CHEZ GRAND-MÈRE, à Montréal.

Si vous êtes à la recherche d'un candidat ponctuel, capable d'initiative et aimant le travail bien fait, le résumé de mes antécédents saura vous intéresser.

Veuillez agréer, Madame, Monsieur, mes meilleures salutations.

Jean Séguin
1000, rue Lafleur, app. 2
Montréal (Québec)
H0J 0P1

(514) 999-9999
(514) 888-8888

/js
p.j.

JEAN SÉGUIN

1000, rue Lafleur, app. 2	Résidence: (514) 999-9999
Montréal (Québec) H0J 0P1	Message: (514) 888-8888

FORMATION

1983-1984
CUISINE (PRATIQUE)
Secondaire V
Polyvalente Jacques-Rousseau
Longueuil

Cours suivis:
- Base de la cuisine
- Pâtisserie
- Boucherie
- Fonctionnement d'une cuisine
- Décoration et présentation
- Apprentissage des postes de la cuisine: saucier/ rôtisseur/ poissonnier/ garde-manger/ grillardin/ etc.

1982-1983
CUISINE (THÉORIE)
Secondaire IV
Polyvalente Jacques-Rousseau
Longueuil

EXPÉRIENCE

1986
CENTRE SPORTIF DE ROSEMÈRE
(Cuisine de qualité; 300 places)

POSTE:
Second

Responsabilités:
Préparer les repas de la soupe au dessert.

Faire la mise en place.

Travailler à l'organisation de buffets et banquets.

Expérience de cuisine italienne, française et québécoise, fruits de mer, etc.

1984-1985	**BRASSERIE LES HIRONDELLES** Boucherville (Restaurant et brasserie; 500 places)
POSTE:	Grillardin et cuisinier
Responsabilités:	Préparer les repas. Remplir les fonctions habituelles de cuisinier
1985	**RESTAURANT CHEZ GRAND-MÈRE** Montréal (Cuisine québécoise)
POSTE:	Cuisinier
1984-1985	**DURANT CETTE PÉRIODE, J'AI ÉTÉ JOURNALIER POUR LA BOULANGERIE WESTON ET CANADA PACKER.**
SAISON 84	**CENTRE SPORTIF DE ROSEMÈRE** Saison estivale (Cuisine de qualité; 300 places)
POSTE:	Cuisinier

STAGE

1984	**HOLIDAY INN** Longueuil
POSTE:	Cuisinier stagiaire

RENSEIGNEMENTS PERSONNELS

Né le 8 février 1965.
N.A.S.: 100-100-100
Célibataire.
Excellente santé.
Ai obtenu un certificat en secourisme général et un autre en leadership (à la base militaire de St-Hubert 1981-83).
Loisirs: lecture, cinéma, musique.
Très bonne santé.
Excellentes références sur demande.

DOMAINE BANCAIRE

Montréal, le 19 décembre 199X

Madame,
Monsieur,

Permettez-moi de vous offrir mes services.

Comme vous le verrez dans le curriculum vitae ci-joint, j'ai 18 ans d'expérience auprès du public, dont un an (1990-1991) à l'emploi du MOUVEMENT DESJARDINS et cinq ans dans le domaine immobilier à l'emploi de TRUST GENERAL et LE PERMANENT.

Ponctuelle et tout à fait digne de confiance, j'ai une grande facilité de communication (en français comme en anglais). Je possède un bon sens de l'initiative et je travaille de façon autonome aussi bien en équipe qu'individuellement.

Je vous remercie à l'avance de l'attention que vous porterez à ma candidature.

Veuillez agréer l'expression de mes sentiments distingués.

Christiane Bellerose
1000, rue Décarie, app. 9
Montréal (Québec)
Y0Y Y0Y

(514) 999-9999

/p.j.

CURRICULUM VITAE

CHRISTIANE BELLEROSE

1000, rue Décarie, app. 9
Montréal (Québec) Y0Y Y0Y

Domicile : (514) 999-9999

EXPÉRIENCE

DE OCT. 90 À JUIL. 91	LA CAISSE POPULAIRE DES BOIS Dorval
POSTE	Caissière
Responsabilités :	Recevoir, servir et conseiller les membres avec efficacité et courtoisie.
	Effectuer les transactions bancaires et proposer les différents services offerts par la caisse (REER, dépôts à terme, etc.).
	Classer les pièces.
	Balancer le guichet automatique.
DE MARS À OCT. 90	MULTI-CAISSES ET MULTI-RESSOURCES INC. Montréal (Agence de placement/Travail pour différentes succursales du Mouvement Desjardins)
POSTE	Caissière volante
DE 1986 À 1990	LE PERMANENT Laval
POSTE	Agente immobilière
Responsabilités :	Qualifier la clientèle (évaluation du budget).
	Conseiller la clientèle sur les questions de droits.
	Négocier les offres d'achat.

Sélectionner les propriétés pour les acheteurs, rédiger les offres d'achat à présenter aux vendeurs et finaliser les ventes (notaire, arpentage, etc.).

Préparer la mise en marché des propriétés (rédactions d'annonces, etc.).

1985	LE TRUST GÉNÉRAL Montréal
POSTE	Agente immobilière
Responsabilités :	Remplir sensiblement les mêmes fonctions que celles décrites ci-dessus.

AUTRE EXPÉRIENCE

DE 1980 À 1985	RESTAURANT BALDAQUIN Montréal (Brochetterie/Capacité : 700 places)
POSTE	Serveuse
Responsabilités :	Accueillir et servir les clients. Balancer la caisse.
DE 1973 À 1980	RESTAURANT LE JOLI FLEUVE Montréal (Haute cuisine/Clientèle exigeante/Capacité : 250 places)
POSTE	Serveuse

FORMATION

JANV. 91	COMMENT PROJETER UNE IMAGE DE MARQUE Hull (Cours donné par le Mouvement Desjardins)
FÉV. 90	COURS DE CAISSIÈRE Montréal (Donné par Multi-Caisses et Multi-Ressources Inc.)

DE 1985 À 1990 (Par intermittence)	JOURNÉES PÉDAGOGIQUES SUR LA MOTIVATION AU TRAVAIL Montréal (Données par Le Permanent et Trust Général)
1985	MARKETING (MÉTHODE TOM HOPKINS) Montréal (Cours de 10 semaines de formation complète rémunérée par Trust Général)
1985	COURS ET PERMIS D'AGENT D'IMMEUBLE Montréal (Cours donné par Agence St-Onge)
1984	ÉQUIVALENCE DE SECONDAIRE V Polyvalente Jérôme-Le-Royer Montréal

RENSEIGNEMENTS PERSONNELS

Née le 12 mai 1954.

NAS : 100-100-100

Langues parlées et écrites : français, anglais.

Loisirs : ski, natation, lecture. Membre d'une ligue de quilles.

Excellentes références fournies sur demande.

MACHINISTE

Montréal, le 15 avril 199X

Aérodynamique Limitée
Monsieur Jacques Lamarche
Directeur du personnel
200, rue Boulet
MONTRÉAL (Québec)
H4H 3B2

Monsieur,

J'ai lu avec un vif intérêt dans «LA PRESSE» du 13 avril dernier que vous étiez à la recherche d'un machiniste. Je désire poser ma candidature à ce poste.

Comme vous le verrez dans le curriculum vitae ci-joint, j'ai plus de 3 ans d'expérience à titre de machiniste ainsi qu'un diplôme d'OUTILLEUR-MATRICEUR, de l'École des Métiers de l'Est, à Montréal.

Durant ces 3 années comme machiniste, j'ai acquis une excellente connaissance du travail sur les machines suivantes: tours, fraiseuses, rectifieuses, étau-limeur, perceuse-radiale.

J'ai aussi de l'expérience sur la «tête à diviser» et la «table tournante», et j'ai travaillé à l'assemblage et à la réparation de «die». Je suis présentement à l'emploi de TOILES LEMIEUX, à Montréal. Mon objectif est de trouver un emploi stable.

Je vous prie d'agréer, Monsieur, l'expression de mes salutations distinguées.

Nom ....
Adresse ....
Ville .... (Province) ....
C.P. ....

TÉL. : .... - ....

/initiales
p.j.

NOËL TREMBLAY

1000, rue Décarie, app. 9	Résidence: (514) 999-9999
Montréal (Québec) H1J 3B4	Travail: (514) 888-8888

FORMATION

1983-1984	DIPLÔME D'OUTILLEUR-MATRICEUR (Secondaire VI) École des Métiers de l'Est
	- Connaissance de E.D.M. (machine électro-érosion/système digital)
DE 1979 À 1981	COURS DE MACHINISTE GÉNÉRAL II (Secondaire IV et V) Polyvalente St-Jérôme

STAGE

MAI 1984	VULCAIN 31, boul. Kennedy, St-Jérôme (Poinçons et matrices)
POSTE:	Apprenti-outilleur
Fonctions	Opérer les machines suivantes: tours, fraiseuses, rectifieuses, etc.

EXPÉRIENCE

DE JANV. 86 À CE JOUR	TOILES LEMIEUX Montréal (Fabrication de pièces pour des moulins de pâtes et papier)
POSTE:	Machiniste
Responsabilités	Fabriquer des pièces sur tours et fraiseuses.
	Travailler à l'entretien de la machinerie de toute l'usine.

DE MAI 85 À JANV. 86	CONTINENTAL HYDRAULIQUE Rue Marc-Aurèle-Fortin, Mtl-Nord (Pièces hydrauliques seulement)
POSTE:	Machiniste
Responsabilités	Fabriquer des pièces pour des pompes hydrauliques, cylindres (et tout ce qui se rapporte à l'hydraulique). Travailler sur tours, fraiseuses, rectifieuses, étau-limeur, perceuse radiale. Expérience sur « tête à diviser » et « table tournante ».
Raison du départ	Nouvel emploi
D'AOÛT 84 À MAI 85	RUBI RUBBER, Sherbrooke (Fabrication de moules)
POSTE:	Machiniste
Responsabilités	Travailler à la fabrication et la réparation de moules.
Raison du départ	Manque de travail. (J'ai été rappelé 1 mois plus tard, mais j'avais trouvé un nouvel emploi.)
DE MAI À AOÛT 84	VULCAIN 31, boul. Kennedy, St-Jérôme (Poinçons et matrices)
POSTE:	Apprenti-outilleur
Responsabilités	Actionner les machines suivantes: tours, fraiseuses, rectifieuses, etc. Travailler à l'assemblage et à la réparation de «die».
Raison du départ	Même raison que pour l'emploi précédent.

DE JUIN 81 À
SEPT. 82

POSTE:

J. LOUIS MACHINISTE
Rue St-Antoine, St-Jérôme
(Fabrication de pièces)

Machiniste général

RENSEIGNEMENTS PERSONNELS

Né le 12 mai 1964.

Célibataire.

N.A.S.: 200-200-200

Loisirs: tir à l'arc, course à pied, badminton.

Santé excellente.

Excellentes références sur demande.

PRÉPOSÉ AUX BÉNÉFICIAIRES

Laval, le .... 19 ....

Entreprise ....
Adresse........................
VILLE .... (Province) ......
C.P. ....

À l'attention de Monsieur_____

Monsieur,

Permettez-moi de poser ma candidature au poste de préposé aux bénéficiaires.

J'ai complété une formation de préposé aux bénéficiaires au Centre spécialisé pour préposés aux bénéficiaires S.V.P. INC. J'ai aussi une expérience de stage pour LE MANOIR DE L'ÂGE D'OR, à Montréal.

Ponctuel et rapide, j'ai un grand sens des responsabilités et de l'initiative. Je peux aussi bien travailler en équipe que de façon autonome.

Je cherche à occuper un poste de préposé parce que ce travail implique une grande part de relation d'aide.

Il me fera plaisir de vous rencontrer et de vous fournir toute information supplémentaire me concernant. Je vous remercie de l'attention que vous porterez à ma candidature.

Veuillez agréer, Monsieur, l'expression de mes sentiments les meilleurs.

Richard Labonté
100, rue Lafleur, app. 1
Laval (Québec)
P1P 1P1

(514) 999-9999
(514) 888-8888

/rl
pièce jointe

RICHARD LABONTÉ

100, rue Lafleur, app. 1, Chom.   Résidence : (514) 999-9999
Laval (Québec)   P1P 1P1   Travail : (514) 888-8888

FORMATION

1986
DIPLÔME DE PRÉPOSÉ AUX BÉNÉFICIAIRES
Centre spécialisé pour préposés aux bénéficiaires S.V.P. INC.

Apprentissage :
Théorique et pratique

- Relation d'aide
- Les besoins fondamentaux
- Gérontologie
- Transferts
- Techniques émotionnelles
- Soins corporels (bains, douches, etc.)
- Réfection des lits
- Installation pour les repas
- Etc.

Réussite avec une moyenne de 86%

STAGE

NOVEMBRE 86
LE MANOIR DE L'ÂGE D'OR
Rue Jeanne-Mance, Montréal

POSTE :
Préposé aux bénéficiaires

Responsabilités :
Remplir les fonctions habituelles de préposé aux bénéficiaires auprès des personnes âgées et des malades.

Cette expérience m'a permis d'acquérir une connaissance pratique du travail en milieu hospitalier.

Réussite de ce stage avec une note de 92%

DE NOV. 81 À CE JOUR	STATION ULTRAMAR Ste-Rose, Laval
POSTE:	Gérant
DE 1977 À 1981	RESTAURANT LE GOÉLAND Montréal
POSTE:	Cuisinier
DE 1973 À 1976	LE CRUSTACÉ Châteauguay (Restauration: fruits de mer)
POSTE:	Cuisinier

AUTRE FORMATION

1972   COURS SECONDAIRE
              École Louis-Philippe-Paré
              Châteauguay

RENSEIGNEMENTS PERSONNELS

Né le 17 janvier 1956.

N.A.S.: 100-100-100

Bonne connaissance de l'anglais.

Marié, 2 enfants.

Disponibilité: en tout temps pour les 3 quarts de travail.

Possède une automobile.

Excellentes références sur demande.

PROGRAMMEUR EN INFORMATIQUE

Montréal, le .... 19 ....

Entreprise ....
Adresse ....
VILLE .... (Province) ....
C.P. ....

À l'attention de Madame _____

Madame,

Permettez-moi de poser ma candidature.

Comme vous le verrez dans le curriculum vitae ci-joint, j'ai un D.E.C. en INFORMATIQUE DE GESTION, du CEGEP de ROSEMONT ainsi que 2 sessions complètes, toujours en INFORMATIQUE DE GESTION, de l'Université LAVAL, à Ste-Foy.

Ayant aussi suivi un stage de formation comme programmeur pour le CANADIEN NATIONAL, j'ai d'excellentes connaissances pratiques en informatique.

J'aimerais encore souligner que je peux faire preuve de beaucoup d'initiative et m'adapter rapidement à de nouvelles fonctions.

Je désire vous rencontrer et vous montrer comment je peux contribuer au succès de votre entreprise. Je vous téléphonerai mardi prochain pour obtenir un rendez-vous.

Veuillez accepter, Madame, mes sincères salutations.

Jean Laflamme
1000, rue Lafleur, app. 2
Montréal (Québec) J3J 3J3
(514) 999-9999
(514) 888-8888

/jl
pièce jointe

JEAN LAFLAMME

1000, rue Lafleur, app. 2	(514) 999-9999
Montréal (Québec) J3J 3J3	(514) 888-8888

FORMATION

1984-1985	INFORMATIQUE DE GESTION (2 sessions de complétées) Université Laval, Ste-Foy
DE 1982 À 1984	D.E.C. EN INFORMATIQUE (DE GESTION) CEGEP de ROSEMONT

EXPÉRIENCE DE TRAVAIL

DE JANV. À AVRIL 85   CANADIEN NATIONAL, Montréal
ET DE SEPT. À
DÉC. 85

POSTE: Programmeur stagiaire

Responsabilités :   Faire de la modification et de l'écriture de programmes en Cobol ou IDMS.

Produire des rapports (avec Culprit).

Préparer de la documentation des systèmes existants.

Effectuer des ajouts de commandes afin d'améliorer les possibilités d'un système interactif (avec DMS/CICS).

AUTRE FORMATION

1985   BASE DE DONNÉES IDMS (1 SEM. AU CN)

PROGRAMMATION INTERACTIVE DMS/ CICS (1 SEM. AU CN)

COMMUNICATION ET ANIMATION RADIO CEGEP de Rosemont

| ÉTÉS 1982 ET 1983 | AI REÇU DEUX BOURSES D'ÉTUDES DE langue seconde de 6 semaines chacune à Halifax, N.-É. à Toronto, Ont. |

CONNAISSANCES EN INFORMATIQUE

MATÉRIEL:

* Burroughs B-1885 (CEGEP)
* IBM 360 (Université)
* IBM 3033 (CN)
* TRS-80 model 11 (CEGEP)

LOGICIELS D'EXPLOITATION:

* Cande (CEGEP)
* CP/M (CEGEP)
* JCL (CEGEP ET CN)
* Music (Université)
* SMCS (CEGEP)
* TSO/SPF (CN)

LANGAGES DE PROGRAMMATION:

* Basic (CEGEP)
* Cobol (CEGEP ET CN)
* Culprit (CN)
* DMS/CICS (CN)
* Fortran (CEGEP)
* IDMS (CN)
* Langage d'assemblage (CEGEP ET Université)
* Pascal (Université)
* UPL (CEGEP)

RENSEIGNEMENTS PERSONNELS

Né le 8 avril 1963.
N.A.S.: 100-100-100
Célibataire.
Ai été membre du comité de gestion, responsable de l'information et animateur à la radio étudiante du CEGEP de Rosemont.
Ai été animateur d'une émission hebdomadaire de 2 heures à la radio communautaire de l'Université Laval, à Ste-Foy.
Loisirs: musique, lecture, bicyclette (ai fait 4 ans de scoutisme).
Excellentes références sur demande.

PSYCHOLOGUE

Québec, le ..... 19 .....

Entreprise ....
Adresse ....
VILLE .... (Province) ....
C.P.............

Madame,
Monsieur,

Permettez-moi de vous présenter ma candidature.

Comme je le souligne dans le curriculum vitae ci-joint, j'ai une MAÎTRISE EN PSYCHOLOGIE ainsi qu'un BACCALAURÉAT E.P.E.O. (Enseignement primaire et élémentaire et orthopédagogie) de l'Université Laval, à Québec.

J'ai aussi 5 ans d'expérience à titre d'enseignante auprès d'adolescents mésadaptés socio-affectifs, pour la COMMISSION SCOLAIRE RÉGIONALE DE TILLY.

De plus, j'ai suivi divers ateliers de formation reliés à la pratique de la psychothérapie tels que : thérapie familiale, gestalt, approches corporelles, etc.

Il me fera plaisir de vous rencontrer et de vous fournir toute information supplémentaire me concernant. Je vous remercie de l'attention que vous porterez à ma candidature. Veuillez agréer, Madame, Monsieur, l'expression de mes meilleurs sentiments.

Suzanne Lemire
12, rue Couillard
Québec (Québec)
J9J 8H8

(418) 555-5555
(418) 444-4444

/sl
p.j.

CURRICULUM VITAE

SUZANNE LEMIRE

12, rue Couillard, Québec
(Québec)   J9J 8H8

Résidence: (418) 555-5555
Message: (418) 444-4444

FORMATION

DE 1980 À 1984	MAÎTRISE EN PSYCHOLOGIE (Spécialisation: psycho-clinique) Université Laval, Québec
DE SEPT. 78 À MAI 80	BACCALAURÉAT E.P.E.O. (Enseignement primaire et élémentaire et orthopédagogie) (Spécialisation: orthopédagogie) Université Laval, Québec
DE 1969 À 1972	LICENCE D'ENSEIGNEMENT EN ENFANCE INADAPTÉE Université Laval, Québec
DE 1967 À 1970	D.E.C. EN SCIENCES HUMAINES Collège des Jésuites à Québec
DE 1962 À 1967	SECONDAIRE V (D.E.S.) Vieux Monastère des Ursulines, Québec

ATELIERS

DE 1980 À 1983

ATELIERS DE FORMATION

De 1980 à 1983, j'ai suivi divers ateliers de formation reliés à la pratique de la psychothérapie:

- Thérapie familiale
- Gestalt
- Les approches corporelles (bio-énergie, massothérapie)
- Approche holistique (énergies subtiles)

Sous la supervision de: Maurice Clermont/ Bob Martin/ Brugh Joy/ Carolyn Conger/ John Kennedy/ Dominique Damant/ Etc.

EXPÉRIENCE

DE SEPT. 77 À JUIN 82	COMMISSION SCOLAIRE RÉGIONALE DE TILLY (Département: Centre Jeunesse Tilly)
POSTE:	Enseignante

Responsabilités — Dispenser des cours de formation de la personne et d'arts plastiques à des groupes de 8 à 10 adolescents mésadaptés socio-affectifs.

Ai été chef de groupe des enseignants du Centre Jeunesse Tilly durant 1 an.

DE SEPT. 75 À JUIN 77	COMMISSION SCOLAIRE DES ÉCOLES CATHOLIQUES DE QUÉBEC (École St-Martin; déficients mentaux moyens de 6 à 10 ans)
POSTE:	Enseignante

Responsabilités — Enseigner à des groupes de 8 à 10 élèves.

ÉTÉ 85	LA HALTE CHAMPÊTRE, L'Ancienne Lorette (Centre de jour; déficients mentaux moyens de 6 à 10 ans)
POSTE:	Directrice du camp de vacances

Responsabilités — Organiser et superviser les activités.

Procéder à l'embauche du personnel.

RENSEIGNEMENTS PERSONNELS

Née le 12 avril 1952.

Numéro d'assurance sociale: 100-100-100

Loisirs: lecture, spectacles, cinéma, musique, marche.

Excellentes références sur demande.

REPRÉSENTANT DES VENTES

Montréal, le . . . . 19 . . . . . .

Entreprise . . . .
Adresse . . . .
VILLE . . . . (Province) . . . .
C.P. . . . .

Madame,
Monsieur,

    Je désire poser ma candidature au poste de <u>représentant des ventes</u>.

    Si vous recherchez un candidat dynamique ayant un diplôme F&I (Gérant d'affaires) ainsi que 5 ans d'expérience dans la vente de voitures d'occasion et autres véhicules, le résumé de mes antécédents vous intéressera.

    Présentement, je travaille à l'emploi de STE-MARIE AUTOMOBILE (FORD), à Montréal, au service des voitures d'occasion. J'envisage de me diriger vers la vente de voitures neuves.

    J'ai une très grande expérience de la négociation et de toutes les formalités entourant la vente d'un véhicule (closer). Ambitieux et déterminé, mon objectif est de toujours rencontrer, et même de dépasser, les objectifs de vente fixés par mes supérieurs.

    Vous pouvez me joindre en téléphonant au (514) 999-9999 ou laisser un message au (514) 888-8888.

    Recevez, Madame, Monsieur, l'expression de mes meilleurs sentiments.

Pierre Dulac
1000, rue Décarie, app. 9
Montréal (Québec)
K1K 2H2

/pd
pièce jointe

CURRICULUM VITAE

PIERRE DULAC

1000, rue Décarie, app. 9	Résidence : (514) 999-9999
Montréal (Québec) K1K 2H2	Message : (514) 888-8888

EXPÉRIENCE

ÉTÉ 86

DIPLÔME F&I, Montréal
Gérant d'affaires
Thermo-guard

DE JUIL. 86 À CE JOUR

STE-MARIE AUTOMOBILE (FORD)
Montréal
(Voitures d'occasion)

POSTE :

Représentant des ventes

Responsabilités :

Recevoir et conseiller les clients.

Négocier l'achat de véhicules d'occasion
(très bonne expérience de la négociation).

Vendre les véhicules d'occasion et
remonter le chiffre d'affaires de ce
secteur.

Vendre des garanties et des assurances
aux clients.

À l'occasion, vendre des voitures neuves.

Grande facilité de communication avec le
public.

Capable d'établir rapidement des relations
d'estime et de confiance.

DE 1982 À 1986

MONTRÉAL MOTO PLUS
Montréal
(Motos neuves et voitures d'occasion)

POSTE :

Gérant adjoint des ventes

Responsabilités:	Développer le secteur des voitures d'occasion et remonter le chiffre d'affaires.
	À ma dernière année, j'ai vendu pour $1,2 million dans le secteur de la moto (275 unités par année).
	Assister le gérant dans ses fonctions et le remplacer en son absence.
	Diriger et coordonner le travail de 10 employés.
	Grande expérience des transferts d'immatriculation.
1982	LE CENTRE DE LA MOTO Montréal (Motos et voitures d'occasion)
POSTE:	Représentant des ventes

FORMATION

DE 1980 À 1982	COURS DE DROIT CEGEP Marie-Victorin (collège privé) Montréal
1980	SECONDAIRE V Collège Laval (collège privé) St-Vincent-de-Paul, Laval

RENSEIGNEMENTS PERSONNELS

Né le 6 avril 1965

N.A.S.: 100-100-100

Célibataire.

Bilingue.

Santé excellente.

Loisirs: ski, échecs.

Excellentes références sur demande.

MAÎTRE D'HÔTEL DÉSIRANT CHANGER D'ORIENTATION

Montréal, le .... 19 ......

Entreprise ....
Monsieur ....
Adresse ....
VILLE .... (Province) ....
C.P. ....

Monsieur,

Permettez-moi de vous présenter le résumé de mes antécédents que vous trouverez dans le curriculum vitae ci-joint.

Je travaille depuis février 1980 à l'HÔTEL GASTRONOME à Montréal, à titre de maître d'hôtel.

À ce poste, je dois assumer des responsabilités telles que : former le nouveau personnel, diriger et coordonner le travail de 14 employés, établir les prévisions de revenus, planifier les horaires des employés, etc...

J'ai acquis, en outre, une grande facilité de communication avec une clientèle des plus exigeantes. Aujourd'hui, mon objectif est de m'orienter vers la vente (gérant de commerce, représentant, ou autre) pour une entreprise requérant les services d'un candidat ayant une forte personnalité.

Il me fera plaisir de vous rencontrer et de vous fournir toute information supplémentaire me concernant. Je vous remercie de l'attention que vous porterez à ma candidature et vous prie d'accepter, Monsieur, l'expression de mes sentiments distingués.

Jean Guay
100, boul. Décarie
Montréal (Québec)
H1J 3B4

(514) 999-9999
(514) 888-8888

/jg
p.j.

75

CURRICULUM VITAE

JEAN GUAY

100, boul. Décarie,
Montréal (Québec) H1J 3B4

Domicile: (514) 999-9999
Travail: (514) 888-8888

EXPÉRIENCE

DE FÉV. 80 À
CE JOUR

HÔTEL GASTRONOME
Montréal
(Restaurant de 150 places)

POSTE:

Maître d'hôtel

Responsabilités

M'assurer de la qualité du service de tout le restaurant.

Former le nouveau personnel et superviser le travail.

Diriger et coordonner le travail de 14 employés.

Établir les prévisions mensuelles des revenus du restaurant et des salaires des employés.

Assurer l'approvisionnement et le contrôle des quantités.

Établir et maintenir de bonnes relations avec une clientèle des plus exigeantes.

Planifier les horaires des employés.

Préparer les paies.

Collaborer au journal interne de l'hôtel.

Organiser et préparer les banquets pour les activités spéciales.

D'OCT. 74 À
FÉV. 80

LE MISTRAL, Gaspé
(Restauration)

POSTE:

Garçon de table

DE JUIN À OCT. 74	HÔTEL SUPÉRIEUR, Matane
POSTE :	Sommelier
Responsabilités	Responsable des vins et du bar.
DE DÉC. 73 À MAI 74	PROJET CANADA AU TRAVAIL, Montréal
POSTE :	Secrétaire

FORMATION

DE 1971 À 1973	D.E.C. EN LETTRES FRANÇAISES CEGEP du Vieux-Montréal
JUIN 71	SECONDAIRE V (D.E.S.) Collège St-Viateur Beauharnois
1979	ANGLAIS Cours intensif donné par le Y.M.C.A. Montréal

RENSEIGNEMENTS PERSONNELS

Né le 12 septembre 1951.

N.A.S. : 100-100-100

Célibataire.

Santé excellente.

Loisirs : ski alpin, aménagement intérieur, bicyclette, cinéma.

Excellentes références sur demande.

SECRÉTAIRE

Sherbrooke, le .... 19 ....

Entreprise ....
Madame ....
Adresse ....
VILLE .... (Province) ....
C.P. ....

Madame,

Permettez-moi de poser ma candidature au poste de secrétaire.

Ainsi que l'indique le curriculum vitae ci-joint, j'ai plus de 8 ans d'expérience à titre de secrétaire pour diverses entreprises. J'ai une très bonne connaissance du traitement de textes (60 mots/minute) et je suis parfaitement bilingue.

D'avril 84 à octobre 86, j'ai été secrétaire à l'emploi de J.W.H. & ASSOCIÉS à Montréal. Ce travail m'a permis d'acquérir un grand sens des responsabilités et un souci du travail bien fait en milieu professionnel.

J'ai aussi 4 ans d'expérience à l'emploi DES ENTREPRISES P.A. à Montréal, de 1979 à 1983. Je peux aussi bien travailler en équipe que de façon autonome.

Il me fera plaisir de vous rencontrer et de vous fournir toute information supplémentaire me concernant. Veuillez recevoir, Madame, mes salutations distinguées.

Pierrette Lavallée
100, rue Dufort
Sherbrooke (Québec)
B0B 0B0

(819) 999-9999
(819) 888-8888

/pl
p.j.

CURRICULUM VITAE

PIERRETTE LAVALLÉE

100, rue Dufort, Sherbrooke
(Québec)   B0B 0B0

Résidence : (819) 999-9999
Message : (819) 888-8888

EXPÉRIENCE

D'AVRIL 84 À OCT. 86

J.W.H. & ASSOCIÉS
100, rue Ste-Catherine, Montréal
(Bureau d'ingénieurs-conseils)

POSTE :

Secrétaire

Responsabilités :

Dactylographier les documents de
soumissions (de 50 à 1000 pages).

M'occuper de la mise en pages et de la
présentation complète des dossiers.

Travailler au traitement de textes
(60 mots minutes).

Assurer le suivi de la correspondance
(comme secrétaire) pour les documents de
soumission et autres.

Remplir les tâches habituelles de
secrétaire.

D'OCT. 79 À FÉV. 83

LES ENTREPRISES P.H.
Montréal
(Siège social/expansion détail)

POSTE :

Secrétaire

Responsabilités :

Assister le superviseur dans l'élaboration
des promotions.

Assurer le contrôle et fournir les rapports
sur le déroulement des promotions.

Responsable (en partie) des fonds de
promotion pour le Québec.

Entretenir les liaisons avec le siège social à Toronto.

Établir les rapports mensuels pour les ventes de pièces et d'accessoires.

Dactylographier les contrats, formules et rapports.

Faire de la vérification sur ordinateur.

DE JUIN À SEPT. 79	**LEMIRE & ASSOCIÉS** Boul. de la Métropole, Longueuil
POSTE:	Réceptionniste
Responsabilités:	Recevoir les appels, dactylographier les soumissions et les contrats. Faire du classement de dossiers.
DE NOV. 77 À AVRIL 79	**WEST OFFICE OF AMERICA CORP.** Vancouver
POSTE:	Secrétaire
Responsabilités:	Dactylographier les polices d'assurance et la correspondance du directeur et des superviseurs.

FORMATION

1972	**COURS COMMERCIAL** École Jean-Nicolet Nicolet
1971	**SECONDAIRE V** École Jean-Nicolet Nicolet

RENSEIGNEMENTS PERSONNELS

Née le 7 mai 1954.
N.A.S.: 100-100-100
Santé excellente.
Langues parlées et écrites: français et anglais.
Loisirs: bicyclette, natation, cond. physique, lecture, danse, céramique.
Excellentes références sur demande.

Le C.V. axé sur les tâches, activités et réalisations accomplies

(SURTOUT DESTINÉ AUX PROFESSIONNELS, CADRES ET EMPLOYÉS SUPÉRIEURS)

Le but du C.V. demeure le même : «Une présentation personnelle qui vend vos qualifications à leur juste valeur et qui transmet à un employeur les renseignements exacts qui vous concernent tout en l'intéressant,» dit M. Richard D'Auteuil, conseiller en personnel et dirigeant associé du groupe LES 500.

«En dehors des dimensions biographiques, dit M. Marcel Dionne, vice-président aux ressources humaines chez

Bombardier, un bon C.V. doit mettre en lumière l'essentiel des réalisations et de la formation d'une personne. Un bon C.V. doit aussi présenter, de façon sommaire, la nature des responsabilités assumées aux postes précédents. Je n'aime pas voir une liste exhaustive de tâches éparses. Très souvent, les gens en mettent trop, ça vient noyer l'essentiel.»

Dans le C.V. suivant, vous allez voir les expériences et la formation présentées par blocs de priorités en insistant davantage sur les responsabilités. Ne vous attardez pas au contenu puisqu'il s'agit du C.V. très spécifique d'une formatrice en milieu de travail. La présentation visuelle, cependant, convient très bien à une candidature pour un poste cadre. Il est recommandé d'ajouter un bloc intitulé PRINCIPALES RÉALISATIONS, si tel est le cas, et d'énumérer vos réalisations les plus pertinentes au poste recherché.

Notez que les renseignements personnels et la lettre de présentation ont été volontairement rayés par la candidate de notre exemple. Pour certains postes spécialisés et parfois difficiles à combler pour l'employeur, un candidat peut miser strictement sur ses compétences, quitte à faire valoir sa personnalité durant l'entrevue.

Si vous trouvez ce C.V. trop difficile à préparer, ou si vous ne vous y retrouvez plus, vous pouvez très bien vous en tenir aux modèles des pages précédentes ou en réaliser vous-même un nouveau qui correspondra exactement à vos besoins.

CURRICULUM VITAE

GINETTE LÉVESQUE

Domicile : 1 (212) 777-7777
1000, 5ᵉ avenue, app. 101
New York, N.Y. 98204-9981

Bureau : 1 (212) 666-6666
Réf. : M. Stewe Howe
Chef de projet (SISUS)

EXPÉRIENCE : FORMATION EN MILIEU DE TRAVAIL

DE SEPT. 89 À DÉC. 91   VILLE DE NEW YORK

(Service des Finances/Projet
SISUS/Référence : M. Steve Howe,
chef de groupe)

POSTE   Coordonnatrice à la formation

TÂCHES ET RESPONSABILITÉS :

Activités reliées au développement du système de gestion des recettes
(SISUS)

En collaboration avec les conseillers en développement de systèmes :

— Recueillir les besoins des usagers.

— Participer à la conception et à l'implantation de certaines fonctions du système SISUS.

— Faire l'apprentissage des nouvelles applications du système.

— Proposer des modifications pouvant faciliter l'appropriation des nouvelles applications par les futurs usagers.

— Participer à la rédaction de rapports d'analyse.

Activités reliées à la formation

Évaluer les besoins de formation en collaboration avec le(s) gestionnaire(s) concerné(s) pour chaque nouvelle application du système.

— Étudier les différentes méthodes et procédés de travail qui seront affectés par l'implantation de la nouvelle application.

— Participer à l'élaboration d'une nouvelle méthodologie de travail adaptée au développement du système.

— Établir un plan de formation.

Pendant la période d'implantation, voir à ce que les usagers du système comprennent et appliquent correctement les procédés établis.

— Préparer le matériel pédagogique nécessaire à la formation.

— Assurer la formation et l'encadrement des usagers lors de l'implantation des applications du système.

Activités reliées au soutien à l'usager

— Examiner les problèmes ou difficultés soulignés par les usagers en effectuant des tests additionnels.

— Assurer le lien entre les différents intervenants, soit les usagers, les conseillers en développement de systèmes et les analystes afin d'arriver à la meilleure solution possible.

DE MAI 88 À JUIL. 89   MUNICIPALITÉ DE ST-FRANÇOIS
MUNICIPALITÉ DE ST-DENIS
MRC DE GRANDE-VALLÉE

POSTE   Formatrice

Tâches et responsabilités :

Implantation d'un système comptable (produit de la firme IST de Montréal)

Remplir sensiblement les mêmes fonctions que celles décrites à l'emploi précédent.

EXPÉRIENCE : FORMATION EN MILIEU INSTITUTIONNEL

DE FÉV. 87 À AOÛT 89   COLLÈGE DE ROSEMONT
Montréal

POSTE   Enseignante contractuelle

Responsabilités :

Enseigner dans le cadre de cours réguliers et de formation aux adultes : Finance I et II, Comptabilité I, II et III, Dynamique d'entreprise, Mathématiques financières, Mathématiques immobilières, Évaluation immobilière.

Logiciels utilisés : chiffrier électronique Multiplan, logiciels de comptabilité Sigec et Bedford.

DE 1987 À 1989   UNIVERSITÉ DU QUÉBEC
Montréal

POSTE   Auxiliaire d'enseignement

Responsabilités :

Animer des ateliers sur les finances.

FORMATION ACADÉMIQUE

MAI 85   BAC EN ADMINISTRATION DES AFFAIRES
(Par cumul de certificats)
Université du Québec à Montréal

— Certificat en Sciences Comptables
— Certificat en Marketing
— Certificat en Administration

Répondre aux offres d'emploi

Ça y est, vous avez en main un outil précieux. Vous avez votre «passeport de voyage» ou, plus justement, le dossier d'informations que l'employeur attend de vous. Vous n'arrivez pas les mains vides. C'est tout à votre avantage.

Voyons à présent comment vous réussirez à vous rendre jusqu'au bureau de l'employeur. Décrocher une entrevue à la suite d'une annonce parue dans le journal ou ailleurs n'est pas si simple que ça. À moins d'être recommandé par un centre de main-d'œuvre ou une connaissance, il faudra vous-même prendre rendez-vous. Et cela, en règle générale, se fait par téléphone. (Sauf, bien entendu, si l'on demande strictement l'envoi du C.V.).

Cette démarche constitue un premier contact direct dans votre recherche d'emploi. Nous proposons d'ailleurs de considérer cette seule recherche comme un travail à temps plein.

Ce qui veut dire qu'il faut planifier un horaire quotidien assez précis, incluant des activités physiques, des pauses-café et surtout un lever matinal. Tout comme si vous aviez déjà un emploi régulier.

Si vous vous levez à 10 heures le matin, par exemple, vous venez de rater l'heure la plus propice de la journée (entre 9h00 et 10h00) pour décrocher une entrevue par téléphone. Saviez-vous, en effet, que beaucoup d'employeurs ou leur secrétaire, après avoir placé une annonce pour le journal du matin, inscrivent dans leur calepin l'heure précise à laquelle les candidats téléphonent — 9h05 — 9h18 — 9h20, etc.

Saviez-vous aussi qu'après un certain nombre d'appels reçus, un employeur n'accorde tout simplement plus d'entrevues? Et il en va de même, bien entendu, du côté des centres de main-d'oeuvre.

Comme nous l'avons mentionné plus tôt, recherchez d'abord dans votre champ d'action. Vous pouvez, s'il n'y a rien, élargir un peu ce champ d'action, mais ne vous égarez pas. S'il n'y a vraiment rien, remettez votre recherche au lendemain. Tôt ou tard, il y aura un poste pour vous.

Quand vous aurez en main les quelques offres d'emploi que vous jugez pertinentes, il y aura trois façons de joindre l'employeur. 1. Envoyer le curriculum vitae. 2. Se rendre sur place. 3. Téléphoner.

Pour la première option, c'est facile; vous avez déjà sous la main une photocopie de votre C.V. Il ne vous manque plus que l'enveloppe, le timbre et la boîte aux lettres pour le faire parvenir.

La deuxième façon, qui consiste à se rendre sur place, est plus hasardeuse, surtout quand c'est à l'autre coin de la ville. Soyez assuré, au départ, que l'emploi annoncé vous intéresse vraiment. Si oui, rendez-vous très tôt sur les lieux et attendez-vous à ne pas être le seul. Une fois sur place, efforcez-vous d'être très présent et de vous montrer très vite intéressé à l'emploi. Nous en reparlerons dans la partie sur l'entrevue.

Enfin, il y a le téléphone. Voici quelques petits trucs éprouvés qui vous aideront à décrocher une entrevue par téléphone. D'abord, il faut bien savoir que l'on téléphone pour décrocher une entrevue et non un emploi. Un emploi distribué par téléphone, ça n'existe pas. Ainsi, vous pouvez vous concentrer sur l'objectif précis de votre appel: décrocher une entrevue.

Si vous y parvenez, vous venez d'accomplir un grand pas. L'employeur ou même sa secrétaire peuvent quelquefois juger de l'intérêt d'un candidat lors d'une première conversation téléphonique. Et votre intérêt ici, à prétentions égales, ne peut se mesurer qu'à l'intensité et au timbre de votre voix au téléphone. Il s'agit donc de bien se préparer avant d'effectuer cet appel.

Un premier truc consiste à écrire sur un bout de papier les questions et même les phrases exactes que vous prononcerez au téléphone. Ensuite, avant d'appeler, vous répétez à haute voix ces formules. Tout comme le font les comédiens ou les lecteurs de nouvelles avant un rôle ou un reportage. Répétez de façon à bien dérouer votre voix. Nous retrouverons aussi cet exercice pour la préparation de l'entrevue.

Prenez votre appel au sérieux. Songez à parler clairement et avec un certain tonus. Buvez un bon café avant, s'il le faut, mais soyez éveillé et surtout alerte lors de cet appel. Une voix ferme et pleine d'entrain, à cette étape-ci où nul ne vous connaît, est la seule façon d'établir un contact efficace. Un employeur ne peut se permettre d'accorder une entrevue à l'écoute d'une voix endormie ou sans couleur.

De plus, avant de loger votre appel, prenez un crayon et préparez-vous à prendre des notes. D'une part, cela chassera la nervosité et de l'autre, bien sûr, vous devrez noter les informations concernant la nature exacte de l'emploi et, s'il y a lieu, l'endroit, le jour et l'heure exacte du rendez-vous.

Quelles sont maintenant les phrases ou formules efficaces à dire au téléphone? Notez bien que ces phrases ne sont pas «coulées dans le ciment». Si votre interlocuteur vous parle d'un autre sujet, soyez prêt à discuter. Voici un exemple très simple : « Bonjour ! Je m'appelle Jean-Marc, je téléphone au sujet de l'annonce que vous avez fait paraître dans le journal. Ce poste m'intéresse beaucoup (ou correspond parfaitement à mes compétences). J'aimerais vous rencontrer pour vous donner toutes les informations nécessaires me concernant... »

Si, d'autre part, l'offre d'emploi en question ne vous en apprend pas assez sur la nature du travail, vous pouvez utiliser cet autre exemple de formule: «Bonjour! J'appelle au sujet de l'annonce parue dans le journal ce matin. J'aimerais avoir des informations précises sur l'emploi en question.»

Cette phrase amène déjà votre interlocuteur à dialoguer avec vous. Et plutôt que d'essuyer vous-même, dès le départ, les questions directes et souvent expéditives de l'employeur sur vos compétences, cette formule peut justement vous donner la chance d'en apprendre déjà un tant soit peu sur les critères véritables exigés par le poste. À ce stade-ci (à moins d'être vraiment à côté du sujet), ne vous questionnez pas à savoir si vous feriez l'affaire ou non. N'hésitez pas. Répondez dans l'affirmative.

Cette attitude dynamique est nécessaire au téléphone parce que l'employeur recevra encore une bonne quantité d'appels. Forcément, une grande sélection sera faite au téléphone. Soyez donc attentif et très présent à l'appareil.

Quand on vous aura fixé un rendez-vous, notez bien l'heure, le jour, l'adresse et le nom de la personne qui vous recevra. Laissez votre interlocuteur sur une note enthousiaste comme: « Très bien, c'est noté, à demain (ou à mardi)!», «Oui, c'est parfait, j'y serai», etc.

Ne craignez pas de lui démontrer l'enthousiasme que vous portez à ce rendez-vous. Après tout, c'est une première victoire pour vous.

À partir du moment où vous accrochez le téléphone jusqu'au jour du rendez-vous, vous aurez tout ce temps pour prendre les dispositions utiles qui feront de vous le candidat idéal pour le poste offert. Voici ce que nous allons faire...

La préparation de l'entrevue

Bien se préparer pour une entrevue, c'est aussi découvrir et noter le maximum d'informations possible sur l'entreprise et le poste offert.

Pour y arriver, jouez au détective et menez votre propre enquête. Rencontrez discrètement un employé de la compagnie ou contactez la réceptionniste. Voici quelques informations utiles à connaître:

— Est-ce une entreprise régionale, nationale ou internationale?
— Combien y a-t-il d'employés en tout?
— Quels sont les produits ou services offerts par cette entreprise?
— Quel est le titre exact du poste convoité et quelles sont les responsabilités qui s'y rattachent?

— Quel est le nom précis et le titre de la personne qui vous recevra en entrevue? Quels sont ses traits de caractère?

Si la compagnie est trop petite et se prête mal à cette mini-enquête, soyez doublement discret.

Ensuite, quels sont les vêtements que vous porterez? Il existe des chapitres complets dans certains livres sur la façon de s'habiller pour se présenter à une entrevue.

Retenons simplement que, du côté des hommes, le port du veston est efficace, peu importe le type d'emploi sollicité. Pour la femme comme pour l'homme, des vêtements sobres (mais pas austères tout de même) sont recommandés. Il va sans dire que la présentation visuelle compte énormément lors d'un premier contact.

Après avoir choisi l'habillement, insérez deux exemplaires de votre C.V. dans un dossier qui comportera aussi les documents qui pourraient vous être demandés en entrevue (certificats d'études, lettres de référence, porte-folio) ainsi peut-être qu'une petite liste de questions pertinentes à poser à l'employeur sur le poste offert. Cela fait, vous devez maintenant vous préparer mentalement pour le poste précis que vous convoitez.

AIMEZ-VOUS LE THÉÂTRE?

Pour arriver à afficher de la confiance en soi, à s'exprimer clairement et à faire valoir ses compétences, il faut s'y préparer mentalement.

Le meilleur remède contre la nervosité, c'est de maîtriser le mieux possible le sujet que vous aurez à débattre. Vous y parviendrez en faisant des répétitions.

Plus vous maîtriserez votre rôle (celui du candidat idéal) et votre sujet (le poste convoité), plus vous aurez de chances de vous faire engager.

Nous nous trouvons maintenant à une étape importante de notre démarche. Par conséquent, il faut nous mettre véritablement à la tâche. Nous connaissons notre mission (obtenir le poste) et nous arrivons devant l'obstacle ultime: l'entrevue. Nous devons le franchir avec succès.

C'est le moment, ou jamais, de retrousser ses manches si nous voulons être fin prêt pour l'entrevue. C'est ici que nous pouvons distancer les concurrents. Voici un exemple personnel qui pourra vous aider.

Il y a quelques années, j'avais sollicité une entrevue pour un poste d'éducateur auprès d'adolescents en difficulté. Les entrevues avaient lieu durant l'après-midi et je tenais énormément à mériter ce poste. Le matin, seul chez moi, j'expliquais à haute voix, tout comme je m'attendais à le faire durant l'après-midi, pourquoi je me sentais en mesure d'assumer le poste en question. Bref, je répétais.

Durant cet exercice, il m'est venu à l'esprit qu'il était fort possible que l'on me place carrément en situation d'intervention.

Bien sûr, ce n'était qu'une hypothèse, mais je me suis tout de même conditionné à une telle éventualité. L'après-midi, dans la salle d'attente, il y avait six candidats pour le poste en question, tous aussi motivés que moi sans aucun doute, et ayant, dans certains cas, une formation plus importante que la mienne. Fait à noter, avant de commencer, les candidats furent priés de ne pas dévoiler aux suivants la nature de l'entrevue.

Cette annonce suscita une certaine nervosité chez les candidats, mais pour ma part, au contraire, je me sentis plus à l'aise. Je prévoyais de plus en plus une entrevue de mise en situation. Et puisque je m'y étais préparé, cela accentua ma confiance. **J'étais prêt à cette éventualité.** Quand ce fut à mon tour de me présenter, le responsable me plaça immédiatement devant une situation fictive où deux adolescents simulateurs se chamaillaient. Je devais les ramener à l'ordre avec tact et fermeté.

Le responsable remarqua la vitesse et le calme de ma réaction tout autant que mon aptitude d'intervention. Le soir même, j'étais embauché. J'avais gagné la partie simplement parce que je m'y étais bien préparé.

Pour bien vous préparer à l'entrevue, répondez par un paragraphe à chacune des «questions à prévoir» qui vont suivre. Apprenez ces réponses comme si vous étiez convoqué à un examen oral ou à une audition. Répétez-les plusieurs fois à haute voix en y ajoutant de l'intensité et du tonus. Si vous n'êtes pas un partisan du «par cœur» rien ne vous empêche de varier la formulation de vos réponses. Ce qui importe, c'est bien de pouvoir donner des réponses intéressantes aux questions.

LES QUESTIONS À PRÉVOIR

Il serait laborieux et peut-être un peu fastidieux d'essayer de prévoir **toutes** les questions qu'un employeur pourrait vous poser. La plupart de ceux-ci ont des motifs et des critères d'embauche assez précis.

Voici tout de même une série de questions qui reviennent dans beaucoup d'entrevues. Répondez à chacune en quelques lignes.

— Qu'est-ce qui vous fait croire que vous aimerez travailler pour notre entreprise?
— Quel a été votre dernier emploi?
— Quelles étaient vos responsabilités? Que faisiez-vous à cet emploi?
— Pourquoi l'avez-vous quitté?
— Aimez-vous mieux travailler seul ou en équipe?
— Quels sont vos points forts pour le poste offert?
— Quels sont vos points faibles?
— Êtes-vous prêt à faire des heures supplémentaires?
— Êtes-vous en bonne santé?
— Quels sont les inconvénients de votre métier?
— Que pouvez-vous nous apporter?
— Quels sont vos projets d'avenir?
— Qu'est-ce qui vous motive à désirer précisément ce poste?

QUELQUES BONS CONSEILS AVANT L'ENTREVUE

Voyons maintenant l'entrevue avec les yeux de l'employeur. Voici quelques conseils recueillis auprès de recruteurs professionels. «Nous savons tous que le jeu d'un candidat est de se présenter sous son meilleur jour, dit M. Marc-André Dionne de Bombardier. Cela étant dit, il ne doit pas se prendre pour un autre. Il doit rester lui-même.»

Selon M. Richard D'Auteuil, du groupe de placement LES 500, il n'y a rien de bien sorcier dans une entrevue. «Pour le candidat, il s'agit simplement d'être franc et ouvert. Une personne doit me prouver qu'elle est prête à relever les manches et à investir ses compétences au service de l'employeur à qui nous la référons. Si je peux sentir une telle attitude dans ce qu'elle me transmet en entrevue, je vais tout faire pour la placer.»

«Nous ne sommes pas intéressés par le candidat du genre «bonimenteur», dit M. Yves Lagueux de IBM. Celui, par exemple, qui trouve qu'«on fait donc des bons ordinateurs chez IBM», et patati et patata... Qu'il nous présente plutôt ce que lui peut faire de bon, ce dont il est capable.»

L'objectif des employeurs, en vous rencontrant, est de vous connaître tel que vous êtes. Pour ce faire, les professionnels du recrutement vous conseillent d'être franc et de participer à 100 % au jeu de l'entrevue.

Ce qui veut dire de ne pas arriver en entrevue sur la défensive, mais plutôt avec assez d'ouverture d'esprit pour présenter le plus clairement possible vos expériences, votre formation et ce que vous pouvez réellement apporter à l'entreprise.

Nous le savons, il faut se montrer sous son meilleur jour. Mais il faut surtout se préparer à discuter et à participer activement à l'entrevue. Essayer d'avoir une vision claire et réelle de vos intérêts et de votre capacité d'engagement.

Règle générale, votre vie privée n'intéresse pas l'employeur. De toute façon, vous n'êtes pas tenu de répondre aux questions à ce sujet. Vous pouvez cependant prévoir une porte de sortie pour une question inattendue. Par exemple : quel est votre plus grand point faible ? Pas facile à répondre à ça... En réalité, le recruteur ne veut pas tant connaître ce point faible que de vous voir vous sortir de la situation émotive que suscite sa question imprévue.

Laissez-vous une marge de manœuvre, un «espace blanc» pour improviser quand vous êtes pris au dépourvu. Tous les sujets sont bons, mais ne dérapez jamais sur votre vie privée. C'est exactement comme prendre le fossé avec une auto sur la route. Ne parlez pas trop. Sachez reconnaître les signes de votre vis-à-vis quand il veut aborder un autre sujet. En étant attentif, comme vous l'êtes au volant d'une voiture, vous prendrez facilement ces virages plus serrés.

L'entrevue

Savez-vous de quoi vous avez l'air quand vous rencontrez quelqu'un pour la première fois? Dans le cas qui nous occupe, la réponse doit être oui.

En entrevue, outre les compétences dans votre domaine, il y a trois points majeurs à considérer. La présentation très visuelle du candidat, c'est-à-dire l'habillement, comme nous l'avons vu, la participation du candidat et, enfin, sa détermination. La question de l'habillement est réglée. Vous êtes bien mis dans vos vêtements. Les deux autres points, vous y ferez face en toute présence d'esprit puisque vous vous y êtes préparé.

Vous avez, en effet, assimilé quelques informations sur l'entreprise (et le poste offert) et vous avez appris une série de réponses qui vous aideront à participer activement à l'entrevue ou, tout au moins, à vous dépanner.

L'employeur vous attend. Soyez sur les lieux au moins quinze minutes plus tôt. Il arrive parfois qu'on fasse remplir au candidat un rapide formulaire avant d'entrer dans le bureau.

AUTOPSIE D'UNE ENTREVUE

Une entrevue se déroule habituellement de la façon suivante. L'interviewer ou l'employeur vous accueille à la porte, en mentionnant votre nom : «Bonjour Madame X ou Monsieur X.» S'il vous tend la main, donnez-lui une franche poignée de main. Qu'il se prête ou non à cette formalité, affichez un air à la fois jovial et sincère. Vous êtes nerveux? Quoi de plus normal. Un candidat vraiment intéressé est nerveux. L'employeur en est conscient.

Il existe une méthode qui propose aux candidats à prendre les devants et faire en sorte de maîtriser les premières minutes de l'entrevue pour se présenter et se vendre.

Cette méthode dynamique peut être bienvenue dans certains secteurs de la vente, du marketing ou des affaires. Autrement, elle peut paraître déplacée et même ridicule (surtout si vous en êtes à vos premières entrevues).

Soyez vous-même. Écoutez attentivement les questions et les remarques de l'employeur. Ce dernier, avec ou sans l'aide de votre C.V., posera les questions qui lui permettront de mieux vous connaître et de vous évaluer.

Voici une première question! C'est à vous de parler. C'est ici que monte l'adrénaline. Elle vous aide à être présent. Soyez ferme et vigilant. Parlez clairement et distinctement. Jouez le rôle que vous avez appris. Pour une question-piège à laquelle vous n'avez pas prévu de réponse, ramenez la balle dans votre camp en substituant une autre réponse déjà apprise qui s'y rapproche. Si vous voulez un exemple très simple de ce truc, écoutez la plupart des politiciens répondre à une question précise. Vous saisissez!...

Ne parlez aucunement de vos défauts. Une annonce publicitaire d'une minute à la télévision va-t-elle souligner que ses produits ont tel ou tel défaut? Jamais de la vie. Vous avez de 5 à 30 minutes pour vous présenter et vous êtes venu pour décrocher le poste offert. N'accordez aucune place à vos points faibles. Balayez-les dès qu'ils se signalent à votre esprit. Vous y repenserez plus tard si ça vous chante.

Si l'employeur vous amène sur ce terrain, sortez-vous-en immédiatement. Vous n'êtes pas là pour vous faire mettre en boîte. Vous n'êtes pas là non plus pour raconter votre vie émotive. Ne parlez pas d'un divorce, d'une maladie ou d'une quelconque opération.

S'il aborde un sujet épineux comme une série d'emplois de courte durée, répondez que vous avez maintenant acquis de la maturité et que vous recherchez un poste stable. Sans mentir, vous pouvez (et devez) mettre vos compétences en valeur.

Quand, par ailleurs, il parlera des produits et services offerts par son entreprise, accordez un intérêt véritable et une grande écoute à ses paroles. Servez-vous aussi d'un minimum de psychologie afin de déceler, un tant soit peu, la personnalité de votre vis-à-vis. Tout en respectant les rôles définis de candidat et d'employeur, placez-vous d'égal à égal avec lui. Individu pour individu, et hors du contexte de l'entrevue, rappelez-vous que vous avez tous deux la même valeur.

Ne vous questionnez pas un instant à savoir si vous aimeriez ou non le travail tel qu'il sera présenté, ou si vous pourriez l'accomplir efficacement. Vous réfléchirez à tout cela plus tard.

Pour l'instant, vous devez tout faire pour obtenir le poste offert. C'est votre objectif ultime et avoué. C'est le temps ou jamais de vous montrer enthousiaste et motivé. Faites voir à votre vis-à-vis que vous n'êtes pas venu pour jouer mais pour gagner. Et, à vrai dire, c'est ce qu'il souhaite ardemment. De son côté, en effet, il espère trouver le candidat qu'il recherche, dans le plus bref délai.

Il n'est pas mal vu de prendre des notes en cours d'entrevue. Mais ne vous camouflez pas derrière ces notes. Gardez une posture ferme sur la chaise. Pour les fumeurs, ne fumez pas à moins qu'on ne vous y invite.

Participez pleinement à la rencontre. Soyez bref et précis dans vos réponses. Affichez un enthousiasme réel pour l'entreprise. Essayez à tout prix de gagner la confiance de la personne en face de vous.

Si des points ne sont pas clairs ou si vous avez des questions à poser à l'employeur, posez-les. Cette attitude dénote un esprit d'initiative intéressant. Servez-vous des informations que vous avez déjà au sujet de l'entreprise (la petite enquête) ou encore des notes retenues durant l'entrevue.

Ces questions devront surtout concerner la nature et les besoins de l'emploi pour l'instant. Ne parlez pas de salaire sauf si on vous y convie. Et alors, vous attendez la proposition offerte tout en gardant à l'esprit l'échelle de vos besoins financiers. Ne vous avancez pas de toute façon sur cet aspect qu'il sera toujours possible de négocier si vous êtes le candidat recherché.

Ne vous attardez pas en entrevue. Sachez vous retirer à temps. L'employeur a certainement beaucoup à faire. La rencontre se terminera sensiblement comme elle a commencé. Sans exiger une réponse immédiate (à moins d'être embauché sur-le-champ, ce qui est très rare), vous pouvez prendre l'initiative de la finale en disant que vous le contacterez dans les prochains jours pour connaître sa réponse.

Il répondra alors, invariablement, que lui-même ou quelqu'un s'en chargera. Terminez la rencontre avec une franche poignée de main.

ESSAYER DE FAIRE «CLIQUER» LES CHOSES

Un jour, un candidat fut reçu en entrevue par un chef du personnel qui affichait lui-même une certaine anxiété. En discutant un peu avec lui, le candidat apprit très vite que le sous-sol de sa maison avait été inondé la veille et qu'il avait dû transporter des boîtes et des meubles toute la nuit.

Dès lors, le candidat se montra profondément intéressé à cette histoire et laissa son vis-à-vis raconter tout ce qu'il avait dû «endurer» durant la nuit. L'entrevue dura près d'une heure au cours de laquelle les deux protagonistes discutèrent des problèmes d'inondation dans les régions bordant les fleuves et les rivières. Pas une seconde il ne fut question de l'emploi offert. «Et pourtant, dit le candidat, j'avais instinctivement compris, dès ma sortie du bureau, que je venais de décrocher le poste.»

La relation de personnalité qui s'établit entre le candidat et l'employeur est un critère d'embauche important. À compétences égales, le choix de ce dernier s'arrêtera à celui ou à celle avec qui la relation aura le mieux «cliqué». Si une occasion se présente, saisissez-la.

Conclusion

L'ardeur et l'enthousiasme colorent tous les métiers. Si votre métier ne vous plaît pas ou vous plaît moins, apprenez à l'aimer. Étudiez-le sous plusieurs aspects en cherchant toutes les possibilités qu'il offre.

Quand on modifie son attitude envers son travail de tous les jours, quand on s'efforce de l'apprécier, on apprend à y mettre l'ardeur et l'enthousiasme qui peuvent le rendre passionnant. On tire du plaisir de son travail quand on y met du cœur et de la vitalité.

Si vous n'y arrivez définitivement pas, alors changez d'orientation en vous rappelant qu'il est parfois difficile de changer de monture en cours de route.

Par ailleurs, il pourra être ardu d'occuper ses journées, ses semaines parfois, à chercher un emploi. Chacun sait que l'assurance-chômage et le bien-être social sont des solutions de rechange trop précaires (mais en aucun cas humiliantes) pour qui veut se bâtir une vie sociale active et stimulante. Durant cette période de transition, afin de combattre le découragement et la paresse de la volonté, il vaut mieux la nourrir de façon stimulante.

Intéressez-vous aux gens et aux événements. En y mettant des efforts, cette petite discipline deviendra vite naturelle et s'étendra à toutes vos activités. Juste un soupçon de courage au début peut vous entraîner vers des réalisations sans mesures.

Ces quelques mots veulent simplement prévenir le sentiment d'échec ou de pseudo-incompétence qui accompagne souvent les démarches de recherche d'emploi. Comme l'a déjà mentionné un éminent psychiatre américain, «les hommes et les femmes ne s'effondrent pas parce qu'ils sont vaincus, mais plutôt parce qu'ils se croient vaincus».

L'emploi recherché ne se trouvera pas nécessairement aux premières tentatives. Le défi à relever est important. L'attitude dynamique et enthousiaste que nous devons adopter connaîtra des moments forts et se heurtera forcément à des obstacles.

Dans tous les cas, il faudra trouver l'inspiration, l'humour et le tonus nécessaires pour revenir à la charge.

Et disons enfin que, pour faire la transition entre **l'intention d'agir** et **l'action véritable**, il faut apprivoiser et exercer ce qu'on ne peut appeler autrement que le courage. Lui seul provoque l'action nous permettant d'avancer.